FSC
www.fsc.org
MIXTE
Papier issu
de sources
responsables
Paper from
responsible sources
FSC® C105338

Considérations philosophiques sur les enjeux politiques et culturels

La Voie de l'humanité, livre 2

Jean-Marie PAGLIA

Du même auteur

La Voie de l'humanité, Livre 1 (2020)
Considérations philosophiques sur les enjeux économiques et sociaux

La Voie de l'humanité, Livre 3 (2020)
La spiritualité est notre voie d'évolution

www.lavoienaturelle.com

Édition : BoD – Books on Demand,
12/14 rond-point des Champs-Élysées, 75008 Paris.

Impression : BoD – Books on Demand, Norderstedt, Allemagne

ISBN : 978-2-3222-3820-0

Dépôt légal : novembre 2020

Ce livre est dédié aux petits enfants d'aujourd'hui, qui seront grands demain, et qui seront capables de le comprendre

Remerciements

Nous exprimons notre gratitude envers tous les auteurs directement ou indirectement cités dans l'ouvrage, et en particulier Anup Shah, Noam Chomsky, Fritjof Capra, et Maître Ni Hua Ching. Leurs points de vue aident à comprendre le monde.

Merci à Jacqueline Enjalbert pour les illustrations.

Avant Propos

Le présent ouvrage se concentre sur l'étude des questions politiques et culturelles qui agitent notre monde, du point de vue du citoyen ordinaire qui réfléchit sur l'univers qui l'entoure et sur son propre destin. Notre monde est constitué d'un bouillonnement de problèmes majeurs qui ne cessent de nous mettre en alerte.

Cet ensemble de questions alarmantes – économiques, sociales, politiques, culturelles, démographiques, environnementales, ontologiques, et autres, réclame une approche cohérente et assurée. Or il nous manque précisément la vision méthodique et unifiée qui nous permettrait de saisir les problèmes dans une compréhension globale et ainsi nous permettrait d'y apporter les solutions appropriées.

Loin d'apporter des solutions, de créer de l'harmonie et du bien-être, notre civilisation fabrique toujours davantage de problèmes qu'elle n'en résout. Nos activités explosent dans mille directions contradictoires, les cultures, les religions, les sociétés, les systèmes économiques et sociaux s'affrontent ou s'ignorent. Les sciences ne produisent que des savoirs de plus en plus morcelés, de sorte que la pensée humaine est victime de cet émiettement et se trouve confrontée à des catastrophes qu'elle n'a pas vu venir à temps.

C'est à tout cela que pense le citoyen ordinaire. Il utilise tous les moyens d'information dont il dispose. Il puise dans l'abondante documentation moderne, mais celle-ci ne suffit pas à répondre à ses questions. Pour obtenir une vision vraiment globale, il doit aussi prendre en compte l'héritage d'expérience que les prédécesseurs lui ont légué. L'inspiration de ce livre procède donc aussi de la source la plus riche qui soit: la distillation sans interruption de l'expérience humaine, un continuum de la pensée humaine depuis l'âge préhistorique jusqu'à nos jours.

En découvrant que dans le passé, l'espèce humaine a déjà su acquérir une compréhension fiable et complète de son univers, en réhabilitant le savoir-faire ancien tout en le mariant avec les connaissances de l'ère moderne, le citoyen ordinaire voit s'ouvrir devant lui une perspective unique qui lui donne les clés d'une compréhension complète du sens de l'aventure humaine. Il découvre qu'il peut être en mesure de comprendre son monde, de comprendre son destin, et par là, de trouver des solutions aux conflits qui l'entourent.

Loin d'être une suite de spéculations hasardeuses et partielles, ce texte repose sur la perspective profonde de la sagesse antique, un apport qui est devenu de nos jours une nécessité. L'inspiration provient de la vision intégrale que nous offrent les œuvres mettant à notre portée les enseignements anciens, et complétant ce qui nous manque dans notre façon de penser.

Ce livre vous invite donc à suivre une réflexion synthétique et holistique qui ouvre des voies permettant à chaque personne de poursuivre son chemin et trouver des réponses à tous ses questionnements.

1. Notre priorité première

Voici un tableau des priorités dans les dépenses mondiales au tournant du siècle (1998.) Elles sont exprimées en milliards de dollars U.S :

Éducation primaire pour toutes personnes au monde	6
Produits de beauté aux États-Unis	8
Eau et hygiène sanitaire pour toutes personnes au monde	9
Crème glacée en Europe	11
Planning familial pour toutes femmes au monde	12
Parfumerie en Europe et États-Unis	12
Santé et nutrition pour toutes personnes au monde	13
Aliments pour animaux familiers en Europe et États-Unis	17
Frais de divertissement dans milieux d'affaires au Japon	35
Cigarettes en Europe	50
Boissons alcoolisées en Europe	105
Stupéfiants dans le monde	400
Dépenses militaires mondiales	780

Ces montants des dépenses annuelles sont tirés du site Internet *Global Issues (Problèmes Planétaires)* dans son volet sur la consommation, ce qui nous fournit une précieuse et précise indication quant aux valeurs qui sont celles de la société humaine.

La révélation la plus saisissante serait d'opposer la première et la dernière de ces priorités.

Ces chiffres sont déjà anciens, et nous avons fait beaucoup de progrès depuis : une dizaine d'années plus tard, les dépenses militaires et le commerce d'armement dépassent les 1 100 milliards de dollars par an, (bien au-delà des dépenses en médicaments à 643 milliards environ,) soit le premier chapitre des dépenses de l'espèce humaine.

Cela représente donc la principale activité des nations, c'est-à-dire la lutte entre elles pour se partager la domination du monde. Par delà le légitime besoin de sécurité des nations, il s'agit aussi et surtout pour elles de veiller à « leurs intérêts », c'est-à-dire de s'assurer le contrôle des matières premières et des marchés.

Ce contrôle s'établit par la force, par la présence de bases ou d'armées.

« Existe-t-il un seul homme, une seule femme, un seul enfant, dirai-je, qui ignore que le germe de la guerre dans le monde moderne se trouve dans la rivalité industrielle et commerciale ? » reconnaissait le Président W. Wilson. (1)

« Smedley D. Butler, le général du Corps des Marines le plus décoré de l'histoire américaine ne comprenait que trop bien la vraie nature de la politique extérieure des États-Unis et du Corps des Marines en général, lorsqu'il en vint à conclure, après avoir pris sa retraite en 1931, que pendant les 33 années qu'il avait passées comme officier des Marines sur trois continents, il avait agit « en qualité d'homme de main spécialisé au service du grand capital, de Wall Street et des banquiers … un gangster pour le capitalisme. »

Un demi-siècle plus tard, un autre officier des Marines, le général A.M. Gray, identifiait comme menace envers les États-Unis, ces « insurrections qui peuvent mettre en danger la stabilité régionale et notre accès à des ressources économiques et militaires vitales. » (2)

Une dernière citation pour nous tenir un peu plus à jour :

« Pour permettre [au pétrole] de continuer à couler, pour maintenir un statu quo statique, et laisser les bilans des compagnies pétrolières se remplir à ras bord, nous [les États-Unis] avons installé notre armée comme une super force de police dans la région. Officiellement, la raison pour nous de se trouver là était d'assurer « la stabilité, » un de ces fameux mots à la mode dans le business, mais tout cela n'est que du baratin – la présence militaire au Moyen Orient est là pour garantir que tout ce qui sortira du sol soit exploitable et sous le contrôle des multinationales américaines. » (3)

Naturellement, cet impérialisme économique conquérant fut le fait de toutes les puissances au cours des siècles. Mais ce qui est à remarquer, c'est qu'il y a aussi souvent eu des nations qui ont commercé et prospéré sans trop manifester de belligérance et de domination. De nos jours encore, on trouve parmi les grandes puissances économiques des pays démocratiques parmi les plus prospères, qui ne pratiquent pas l'hégémonie politique.

C'est qu'en effet, le commerce peut être une activité pacifique et coopérative. On doit conclure qu'il existe toujours la possibilité d'un choix : entre sortir le glaive ou la balance, comme on disait autrefois, il n'y a pas nécessité de sortir les deux à la fois.

Vouloir dominer les relations commerciales, c'est bien vouloir prendre plus qu'il ne revient. Ainsi se détermine le choix. Autrement, il n'y a pas besoin de recourir à un hold-up. Par exemple, pour acheter son pain : en lui donnant le bon prix, le boulanger se fera un plaisir de vous fournir ce qu'il vous faut. Si vous vous emparez de sa boutique, que vous videz sa caisse et qu'en plus vous l'obligez à travailler pour votre profit avec un salaire minable, c'est là que commencent les motifs de guerre.

Le grand capitalisme s'exerce selon le principe du profit maximum, et par conséquent, si au niveau mondial les états assument le relais pour ouvrir hors frontières le chemin aux multinationales, c'est bien dans le but qu'elles puissent continuer de retirer les profits maximum, et dans les meilleures conditions pour elles.

Le gourdin, la canonnière, les envahisseurs, passent régulièrement avant la calculette, pour tous les états qui peuvent se le permettre.

« Est-ce que les nations se dotent d'armement nucléaire, chimique et biologique par crainte d'attaques de la part d'autres nations, ou bien n'est-ce pas surtout parce que sans cela les plus puissantes ne pourraient pas exploiter les plus faibles ? » (4)

Les livres de notre Histoire ont été écrits pour raconter les péripéties dévastatrices et glorifiées de notre activité première. Les fatales horreurs et le broyage continu de destins qu'ils racontent peuvent nous servir de miroir pour mieux comprendre ce que nous sommes.

Nous sommes une créature qui choisit souvent le pire des comportements et ne s'en rend pas compte. Au lieu d'échanges pacifiques et profitables, notre cupidité pressante nous pousse à préférer la guerre et la domination, si faire se peut. Nous subissons ce choix dévastateur parce que nous ne nous rendons pas capables de progresser un peu plus haut que notre caractéristique principale, celle qui consiste à rester ancrés dans notre autocentrisme, lequel est naturel, certes, mais aussi aveugle et inconscient.

Le mal qui frappe l'humanité trouve là sa racine. Nous engendrons nos propres maux, et si nous étions capables de nous en rendre compte, nous aurions déjà fait un énorme bout de chemin pour les éviter. Au lieu de cela, nous avons tendance à les aggraver toujours plus avant.

Les ossements des victimes des guerres finiront peut-être par constituer la prochaine couche géologique de la Terre, mais en attendant, il serait bien utile de se rendre compte des dommages et des gaspillages épouvantables que nous fabriquons fébrilement.

Tout d'abord, entendons encore cet appel courageux et prophétique du Président Eisenhower :

« Chaque canon que nous fabriquons, chaque navire de guerre que nous lançons, chaque fusée mise à feu représente en fin de compte du vol envers ceux qui ont faim et ne peuvent se nourrir, envers ceux qui ont froid et ne peuvent se vêtir. Équiper le monde en armement ne signifie pas seulement dépenser de l'argent.

C'est aussi dépenser les efforts de ses travailleurs, le génie de ses chercheurs, les espoirs de ses enfants ... Ce n'est en aucune façon un mode de vie acceptable.

Sous des cieux assombris par la menace de guerre, c'est l'humanité qui se trouve suspendue à une croix de métal. » (5)

Moins de 1% des sommes que le monde a dépensées en armement chaque année aurait suffit à mettre tous les enfants à l'école au terme de l'an 2000. Eh bien, nous ne l'avons pas fait.

L'éducation change le monde. Elle est le moyen incontournable d'assurer le développement matériel et intellectuel. Elle est la clé d'un avenir positif, d'une meilleure réalisation humaine. Elle est aussi l'investissement le plus efficace et le moins coûteux.

Eh bien, nous ne nous en sommes pas vraiment préoccupés.

Peut-être l'avons-nous gardée pour nous comme un trésor, un monopole. C'est une dette que nous avons envers ceux à qui l'éducation fait défaut.

« Nous désirons tous un monde pacifique et prospère, et pourtant les nations ne cessent de se disputer les richesses du monde et de maintenir le monde dans la pauvreté … À elle seule, la Guerre Froide a gaspillé cinq fois les richesses qui auraient permis d'industrialiser le monde et d'éliminer presque toute la pauvreté. De même, un petit 14% de la production industrielle d'armement au plus fort de la Guerre Froide aurait suffit à industrialiser le monde à un niveau durable et à éliminer presque toute la pauvreté en quarante cinq ans seulement. » (6)

Difficile d'imaginer toute la dilapidation de ressources que représente les budgets militaires, puisque cela défie l'imagination, et notre aveuglement nous interdit peut-être à jamais de voir le monde magnifique auquel nous aurions pu donner naissance à la place.

Par contre nous pouvons essayer un instant de nous ressouvenir de faits plus concrets qui ont émaillé notre existence :

Pollution de sites nucléaires, champs de mines antipersonnel, bombes à sous munitions, bombes à uranium appauvri, soutien à des dictatures, à des régimes corrompus ou réprimant les droits de l'homme, renversement de démocraties, etc., chacun peut rajouter ce qui manque …

Et nous pouvons aussi essayer un instant de comprendre de quoi notre présent est fait. Nous pouvons timidement percevoir qu'il n'y a pas la moindre chance que les choses changent de sitôt. La course aux armements est semblable à un vice qui s'alimente et se développe de lui-même.

En effet, le fait que des pays s'arment suscite les rivalités et conduit naturellement les autres à s'armer également, et par conséquent, au lieu d'apporter la sécurité, on passe à un niveau de danger plus étendu et plus élevé. On accumule des réserves d'armes de plus en plus importantes et variées, qui demanderont toujours à être plus entretenues et rénovées, accroissant toujours les risques pour la sécurité de tous.

Les industries de l'armement se gavent et en réclament toujours davantage, réunissant dans cette grasse pâtée de milliards de milliards la cupidité pour soi-même et l'hostilité pour autrui, la recette de réussite la plus assurée et la plus permanente pour elles.

C'est la concrétisation moderne de l'Hydre immortelle, le monstre dont les multiples têtes se régénèrent en se redoublant, et qui exhalent un poison virulent …

Nous avons amassé des armes capables de détruire plusieurs fois le monde. C'est bien l'image de cette épaisseur d'inconscience morale qui est une caractéristique essentielle nous définissant, nous les hommes.

Nous aurions dû nous rendre compte que détruire le monde une seule fois, c'était suffisant, car la deuxième fois, nous ne pourrions même plus nous servir de nos belles armes de destruction massive.

Nous aurions même dû nous rendre compte qu'il peut exister des activités plus positives que de confectionner des moyens de tout détruire. Mais en réalité, ce degré de perception n'est pas encore à notre portée.

Cette vision totalement infantile et immature qui est la nôtre est encore plus apparente si on observe ce qui se prépare pour l'avenir.

Un article publié en janvier 2007 par *TomDispatch.com* nous donne une description de ce qui se prépare qui vaut la peine d'être étudiée. (7)

Cet article, intitulé « Nos armes cauchemardesques de demain » nous apprend quels seront les nouveaux développements aux États-Unis, mais les autres pays ne sont pas en reste :

Les combats au sol se dérouleront comme dans les jeux vidéo, les équipements de haute technologie permettant de mettre à mal l'ennemi tout en demeurant hors d'atteinte.

Le nouveau chasseur F-35 sera capable d'agir librement chez ceux d'en face en se jouant sans problème des défenses ennemies, mais cependant au coût de quelque $275 milliards de dollars, soit le plus coûteux programme jamais vu.

On imagine aussi un bombardier hypersonique F/B-22, indétectable au radar, capable de prendre la couleur du ciel et de changer de forme à mesure que ses réservoirs s'épuisent …

On prévoit un véhicule lancé par fusée capable de frapper n'importe quel objectif sur la planète en moins de deux heures.

Le programme anti-missile, qui a déjà coûté 200 milliards de dollars sans produire de résultat probant demande à être financé jusqu'en 2024 d'une quinzaine de milliards chaque année.

Les dépenses se font dans une relative discrétion et cette discrétion permet l'engagement de sommes quasiment illimitées.

Déjà Fritjof Capra écrivait :

« En conditionnant mentalement le public américain, et en contrôlant efficacement ses représentants, le complexe militaro-industriel réussit à obtenir des budgets de défense en augmentation constante, lesquels permettent de concevoir des armes hautement scientifiques à employer dans les dix ou vingt ans à venir. Entre le tiers et la moitié des chercheurs et ingénieurs américains travaillent pour les armées, consacrant toute leur imagination et leur créativité à l'invention de moyens de destruction totale toujours plus perfectionnés – systèmes de communication laser, rayons de particules, et autres technologies complexes pour une guerre spatiale informatisée. » (8)

L'arrêt des ces dépenses abracadabrantesques est évidemment impossible puisque elles donnent du travail à des centaines de compagnies, la puissante industrie de l'armement sait contrôler les décisions des gouvernements et un tel arrêt signifierait un crash complet pour l'économie mondiale.

Le plus ordinaire des individus qui réfléchit à ce problème comprend que tout l'enjeu réside dans les formidables bénéfices à retirer de ces activités. La question de sécurité des nations est bien secondaire.

À toutes fins pratiques, l'ennemi est surtout hypothétique, et heureusement. S'il n'existe pas très visiblement, il faut l'inventer et le magnifier pour pouvoir jouer le jeu. Mais à force de le susciter, l'ennemi hypothétique devient réel. Toute invention létale nouvelle entraîne finalement son apparition également chez l'ennemi supposé, et cela reste vrai jusque dans les recherches les plus avancées.

C'est pourquoi cette folie délirante tournée vers l'avenir ne cesse de se développer, plus elle grandit, plus elle devient justifiable et profitable et durable.

Le plus ordinaire des individus se rend compte également à quel point ces dépenses sont inutiles, car l'ennemi qui surgit n'est pas celui pour lequel on s'est préparé. Les politiques de domination font surgir des ennemis imprévus, tels ces porteurs de bombes aux pieds nus savent contrer les plus beaux engins perfectionnés. Ils agissent au niveau individuel, c'est la prise à revers des organisations militaro-étatiques. Leur détermination est toute aussi absolue que la puissance des engins apocalyptiques. On se retrouve à égalité. Les lois fondamentales d'équilibre de l'univers se manifestent tout naturellement.

Cela signifie que nous vivons dans un monde de plus en plus dangereux, alors même que nous avons tendance à nous endormir à propos des nouvelles des guerres de droite et de gauche, parce qu'il en a toujours été ainsi, et qu'on s'y est habitué.

Mais le nombre d'états possédant l'arme nucléaire augmente régulièrement, les sujets de conflits ne cessent aussi d'augmenter, ne serait-ce qu'à cause de la raréfaction des ressources mondiales.

Il est évident que le danger continue de devenir de plus en plus menaçant, de plus en plus réel, surtout si on tient compte de notre niveau d'évolution morale, qui ne peut progresser que dans une infinie lenteur. Nous qui sommes une créature si primitive et si peu évoluée spirituellement, nous qui n'avons pas dépassé notre culture d'agression et de domination, nous voilà dotés d'armes terrifiantes dont il est pratiquement certain que nous ferons usage.

Le seul obstacle qui l'a empêché jusqu'à présent a été notre propre peur pour nous-mêmes. Il est urgent que quelque chose se passe avant qu'une fois de plus le zoo humain ne déclenche le pandémonium.

Cela nous amène directement à examiner ce qui ne va pas dans l'homme. Établissons d'abord les distinctions entre l'individuel et le collectif. Le problème de la militarisation mondiale se situe au niveau des états et non des individus.

Les états font les guerres que les individus subissent. Lors des conflits, les peuples déclarent généralement ne pas en vouloir à leur ennemi, ni avoir souhaité ces tragédies, surtout lorsque les choses tournent mal. Et ils sont certes sincères.

Pour autant, ne pas dire que les individus n'y sont pour rien. Ils sont les mêmes du haut au bas de l'échelle. Les individus baignent dans la conscience collective, qui englobe leur formation culturelle et mentale, ils s'identifient aux dirigeants, partagent plus ou moins leurs objectifs, et peuvent y adhérer complètement si la propagande et la communication sont bien faites. Cela est nécessaire pour que les dirigeants soient suivis; ceux-ci doivent suffisamment coller à la configuration de leurs administrés. Ils savent flatter les sentiments populaires qui assurent qu'ils soient suivis. Le pouvoir politique individuel et la conscience collective s'influencent réciproquement.

Bien sûr les états et les lobbies qui orientent les états ont d'autre part leurs propres objectifs qui diffèrent de ceux des particuliers, mais ceux-ci n'en ont pas conscience.

En fait, la pyramide de l'état est un prisme qui magnifie dans les dirigeants les qualités et les défauts qui sont ceux de l'individu ordinaire. Les dirigeants ne sont pas des hommes d'exception. Ils sortent du même bain.

Que ce soit dans le faste visible au sommet des états ou dans l'obscure existence du particulier, c'est la même nature et les mêmes passions qui se manifestent.

C'est donc chez la créature humaine ordinaire qu'il faut chercher les défauts qui font le malheur du monde.

Reconnaissons notre avidité fondamentale, qui regroupe les besoins puissants et inépuisables de l'ego. Avidité envers l'argent évidemment, mais à la suite tout autant envers la sensualité, la passion, le désir de posséder, l'ambition de puissance et de renommée.

C'est alors qu'apparaît pleinement la relation de base entre soi et l'autre. Ce face à face fondamental débouche naturellement sur de l'hostilité.

Notre égocentrisme cultive l'indifférence envers autrui, mais dès le moment que l'indifférence cède le pas à nos ambitions frustrées, elle devient cette relation de rejet qui est latente un peu partout.

Rassurons-nous rapidement, nous sommes tout de même humains ce qui signifie que nous ne sommes pas seulement ancrés dans l'animalité. Nous avons aussi des racines qui puisent dans la lumière, et qui nous donnent autant de bonnes qualités que les défauts qui ont été énumérés, çà aussi, c'est bien nous.

Nous penchons tous continuellement d'un côté puis de l'autre, momentanément, mais aussi de façon plus chevillée et permanente. Chaque personnalité est faite d'une palette de couleurs plus ou moins claires. C'est notre destin que d'avancer entre ombres et lumière, entre hauts et bas. Entre le bien et le moins bien. Nous sommes la créature qui vit entre ciel et terre.

Le sens de notre destinée est de sortir du conflit, de progresser vers l'harmonie. Cela implique progresser vers l'acceptation des autres, ou bien dépasser ses propres limitations, ou bien se détacher des tendances négatives, ou bien se spiritualiser et améliorer sa propre personne, ou bien cheminer vers l'absolu, tout cela c'est la même chose. Et il n'y a pas d'autre destin, sauf à retomber d'où on vient, en attendant de repartir pour un tour.

Les causes des conflits sont internes, car elles appartiennent à la composition de la psyché humaine, elles sont par conséquent identiques dans les conflits des familles, ou des voisins, ou des groupes sociaux, ou des nations.

C'est en transformant la psyché humaine que nous sortirons des conflits. C'est au niveau individuel d'abord que la conscience doit progresser. Et cette évolution apparaît ensuite naturellement dans la conscience collective.

Le militarisme qui se propose allègrement de détruire le monde ou quelques millions de vies et plus ou moins est une expression de forces démoniaques, C'est un asservissement de l'âme humaine par des énergies malfaisantes qui n'attendent que l'occasion de se manifester. Un pacte avec le diable. Le diable, c'est la tendance à la négativité que nous portons en nous.

« C'est bien étrange,
mais bien souvent, afin de nous attirer à notre perte,
les agents des ténèbres nous racontent des vérités,
Ils nous enjôlent, grâce à de piètres évidences,
mais nous réservent des trahisons

aux conséquences les plus profondes. »

Où en sommes nous ?

La réponse est venue le 15 février 2003, une date à inscrire parmi les plus importantes dans l'histoire de l'humanité.

Il y avait à l'époque quelques dirigeants d'un grand pays qui s'apprêtaient à partir en guerre pour envahir un autre pays, et, sous de faux prétextes, s'emparer de ses richesses et arranger quelques amis du même coup ; donc une très bonne affaire, à saisir, pour seulement quelques centaines de milliards dépensés, et seulement quelques centaines de milliers de morts, et l'impunité assurée, en ce monde comme dans l'autre, puisque ces dirigeants étaient très religieux.

À l'appel du Forum Social Mondial, une manifestation planétaire de protestation contre la guerre explosa ce 15 février comme un feu d'artifice universel.

Des millions de gens ont manifesté dans près de 800 villes. Entre **six et dix millions** de personnes ont protesté au cours de ce week-end, dans une soixantaine de pays, d'autres estimations vont de huit à trente millions de manifestants. (9)

Il faut citer à peu près tous les pays d'Europe, petits et grands, les Amériques, du Canada à l'Argentine, le Moyen Orient, des pays d'Asie et d'Afrique, sans oublier l'Océanie, l'Australie, etc., et même une base polaire ! Un kaléidoscope universel de races, de langues, de peuples, de continents, nous, l'humanité, pour une fois unie et rassemblée dans une grande manifestation de conscience.

La seule ville de Rome a vu défiler trois millions de personnes. Et au cours des quatre premiers mois de l'année 2003 trente-six millions de manifestants ont participé à trois mille démonstrations.

Nous ne sommes pas devant une situation ordinaire, mais un tournant historique. La signification de l'événement est lumineuse :

« Ces manifestations pour la paix représentaient non pas une mondialisation du commerce, mais une mondialisation de la conscience. » (9)

Ce fut la manifestation visible et mondiale du degré de spiritualité atteint par les personnes humaines.

« C'était la plus grande manifestation de l'histoire et la première qui soit planétaire … à une échelle inédite, des millions de personnes sont passées à l'action *en personne*, et sans l'intermédiaire de représentants … un *mouvement* capable d'une expansion indéfinie …

Cette journée nous permettait d'imaginer un avenir dans lequel l'humanité elle-même, en personne et en conscience écrirait sa propre histoire. » (10)

Les conclusions à en tirer sont évidentes :

C'est à partir de la conscience individuelle que commence l'évolution. Même lorsqu'il n'y a pas d'engagement civique actif, toute maturation des consciences personnelles se réverbère dans la conscience collective. La conscience collective, c'est ce qui se dit, ce qui s'échange, ce que l'on communique sur les médias, mais c'est aussi ce qui se pense en soi. La maturation des personnes entraîne une amélioration de la société ; une évolution qui se fait au niveau individuel et au niveau collectif en même temps.

Les évènements du 15 février 2003 montrent aussi le fossé qui peut exister entre les peuples et le pouvoir. La conscience populaire peut être plus évoluée que celle des dirigeants. Cette constatation signifie un acte de confiance dans la démocratie et la meilleure justification pour exiger la démocratie véritable.

L'évolution est aussi réelle que lente et imperceptible mais il est apparu ce jour-là que nous possédons la capacité de changer le monde.

2. Démocratie imparfaite

Le contrôle de l'institution politique

La démocratie est souvent définie comme le système de gouvernement le moins mauvais, ce qui laisse entendre qu'il pourrait recevoir des améliorations. Le système où toutes les contributions sont mises en commun et où les opinions majoritaires l'emportent.

Cependant quand on examine son fonctionnement, il apparaît de graves anomalies.

On constate que souvent les politiques suivies ne correspondent pas du tout à celles que souhaiterait la majorité de la population.

Nous avons vu quelles fabuleuses sommes d'argent sont consacrées depuis des lustres immémoriaux aux dépenses militaires. Or, le plus souvent, la population des pays concernés souhaite qu'il en soit autrement.

Exemple : dans *Le Monde diplomatique* (1) Noam Chomsky déclarait :

« La plupart des Américains souhaitent une réduction des dépenses militaires et une augmentation des dépenses sociales … mais la politique de la Maison Blanche est totalement contraire aux réclamations de l'opinion publique. »

Or, continue-t-il, la teneur de l'opinion publique est occultée, si bien que :

« Les citoyens sont non seulement écartés des centres de décision politique, mais également tenus dans l'ignorance de l'état réel de cette même opinion publique. »

Voilà quel est le fonctionnement de nos démocraties à l'heure actuelle. Les décisions ne dérivent pas des vœux majoritairement exprimés par les citoyens, mais les décisions se fondent sur les désirs des centres de pouvoir économique. Le scénario est connu comme le loup blanc, le fonctionnement démocratique est un spectacle de théâtre qui nous répète jusqu'à le faire croire que nous vivons dans le régime le plus juste et le plus équilibré. Tout le monde se doute bien que ce n'est pas la voix majoritaire du peuple qui décide, mais la voix très minoritaire des pouvoirs économiques.

Étudions quelques exemples pour montrer à l'homme ordinaire bourrelé de doutes, d'incertitudes et de perplexité à quel point il a raison.

Le chapitre du site Internet *Global Issues* (*Problèmes Planétaires*) (2) sur les grosses compagnies indique en détail comment fonctionne le pouvoir du capital. Nous lui empruntons les données qui suivent :

La concentration de richesse dans ces grands groupes leur donne un pouvoir de plus en plus envahissant :

En contrôlant les principaux médias directement ou par l'intermédiaire de la publicité, ces groupes sont en mesure de façonner à leurs fins l'opinion publique et même le mode de vie de la société.

Ils peuvent influencer les politiques publiques de diverses manières, notamment par les groupes de pression et les contributions électorales. Des dizaines de lobbies représentant les principales branches d'industrie participent aux levées de fonds des candidats aux élections présidentielles. Ces faveurs ne seront pas ignorées par la suite.

Ils peuvent souvent obtenir des subventions, des avantages fiscaux ou des aménagements des réglementations assurant que leurs intérêts soient bien protégés. Ces aides représentent des milliards de dollars.

Par exemple, on a fait remarquer que lorsque les compagnies pétrolières engrangent des profits fantastiques liés aux variations des prix du baril, aucune taxe supplémentaire ne vient effleurer ces profits.

Ces grands groupes peuvent aussi avoir recours au chantage: ainsi en 1999, des compagnies allemandes parmi les plus puissantes dans l'automobile et la finance ont-elles pu se protéger d'augmentations de taxes en menaçant simplement de délocaliser jusqu'à 14000 emplois. Par conséquent les taxes ont baissé, un conseiller du gouvernement concluait: ces géants industriels sont tout simplement «trop puissants face au gouvernement élu.»

John Bunzl fait observer que le même chantage s'adresse aux syndicats pour qu'ils rentrent dans les rangs et acceptent les conditions offertes.

Arundhati Roy écrit que les leaders libérateurs et démocratiques les plus acclamés, tels que Lula ou Mandela sont totalement impuissants face aux pouvoirs de ces cartels. (3)

Certes, le monde des affaires est soumis à une stricte réglementation, ses activités sont fortement encadrées, sa contribution à la société est très importante, il doit souvent régler de très fortes amendes, mais cela fait partie du jeu des pouvoirs entre l'état et le capital. Tous deux sont à la fois complices et rivaux dans la domination et l'utilisation de la société pour leurs propres finalités.

La démocratie n'est donc en réalité qu'un idéal lointain et inachevé qui n'est jamais passée dans les faits.

Fritjof Capra résume parfaitement la situation :

« Les avoirs de ces géants internationaux dépassent le produit national brut de la plupart des nations ; leur pouvoir économique et politique surpasse celui de beaucoup de gouvernements, et menace la souveraineté nationale ainsi que la stabilité monétaire mondiale. Dans la plupart des pays occidentaux, mais surtout aux États-Unis, la puissance des grandes compagnies se fait sentir dans presque tous les domaines de la vie publique.

Ces compagnies contrôlent en grande partie le processus législatif, déforment l'information que les médias dispensent au public et déterminent, à un degré non négligeable, le fonctionnement de notre système éducatif ainsi que l'orientation de la recherche universitaire. » (4)

Passage est à mettre en parallèle avec cet avertissement prophétique cité par *Global Issues* :

« Je vois se dessiner dans un proche avenir une crise qui me déconcerte et me fait craindre pour la sûreté de mon pays ... Les grandes compagnies sont aux commandes, il va s'ensuivre une ère de corruption dans les hautes sphères et la puissance de l'argent dans le pays s'efforcera de prolonger son règne en travaillant les préjugés du peuple jusqu'à ce que la richesse toute entière soit rassemblée entre quelques mains et qu'il en soit fini de la République. » *(Le président Abraham Lincoln, le 21 novembre 1864)*

Il ne peut pas apparaître de façon plus évidente que les défauts qui pervertissent la démocratie sont les mêmes insuffisances de développement moral qui se retrouvent chez les individus : le désir de profit, de puissance, les ambitions personnelles égocentriques. Pousse-toi de là que je prenne la place, et que je fasse mes affaires.

Il s'ensuit donc que le niveau d'évolution des personnes reflète et détermine le degré de démocratie dans lequel elles vivent, et le degré de démocratie qu'elles ont atteint détermine les conditions culturelles dans lesquelles peut se poursuivre cette évolution.

Définir l'objectif de la démocratie
La liberté d'entreprendre

La démocratie est l'organisation politique qui garantit les conditions dans lesquelles la personne peut réaliser au mieux sa destinée. Elle est donc l'institution qui garantit les libertés fondamentales.

La première condition de bonne vie, c'est un niveau économique satisfaisant, dans une perspective stable et assurée. Par conséquent, la première liberté fondamentale est la liberté d'entreprendre.

Oui, mais il ne faut pas que la liberté d'entreprendre des uns aboutisse à refuser la possibilité d'entreprendre aux autres. Autrement dit, il faut qu'il s'agisse nécessairement de la liberté d'entreprendre solidairement.

Il faut éviter la formation de groupes tout puissants qui escamotent à leur profit le fonctionnement de la vie publique comme on l'a observé plus haut.

Le degré de démocratie qui règne dans un pays correspond au degré auquel l'ensemble des citoyens parvient à contrôler le système politique. C'est par conséquent le degré auquel l'ensemble des citoyens est parvenu à contrôler le système économique. Cela implique idéalement une économie solidaire dont le maillage relie l'ensemble du corps social.

Établir une démocratie, c'est établir une économie démocratique, et cela signifie une économie solidaire.

La démocratie commence sur le lieu de travail. Un emploi donnant une rémunération convenable, dans lequel on exerce ses responsabilités de manière autonome, volontaire, et non coercitive.

C'est l'indépendance personnelle dans l'interdépendance communautaire.

Entreprise individuelle,

Petites entreprises familiales,

Emplois au service de l'état ou des communautés,

Entreprises solidaires, coopératives, entreprises autogérées, entreprises participatives petites et grandes.

Ce sont les voies nécessaires de l'émancipation, de la liberté d'entreprendre.

Pas de travail sans participation à la gestion et au bénéfice du travail.

La démocratie doit se pratiquer dès le milieu de travail.

C'est ce sens d'intégration et de responsabilité qui est capable d'éliminer tous les maux de la société actuelle, car ceux-ci proviennent de la mise à l'écart des individus dans les décisions qui concernent leur destin.

L'économie doit être démocratique, c'est-à-dire pleinement solidaire. Imaginons une société où chaque personne est économiquement libérée. C'est-à-dire sans souci ni dépendance financière. C'est l'économie sans poche de chômage, sans précarité, sans pauvreté, sans aliénation, car chacun y a sa place reconnue, chacun peut fournir son apport en devenant autonome et responsable.

On arguera que le capitalisme actuel comporte des ressources telles que toute transformation sera d'avance vouée à l'échec. Il peut en être autrement, car les colosses dorés ont des pieds d'argile, les crises le démontrent périodiquement. Si on fait abstraction de la spéculation, toute leur richesse, les trillions de dollars, proviennent du travail passé des hommes. Et c'est donc bien peu de chose en comparaison des richesses que peut créer le travail des hommes à venir.

L'engagement civique, la démocratie participative, se fait dans l'existence même du citoyen, il se fait dans la trame même de la société et non pas seulement le jour du vote tous les quatre ou cinq ans

Cette prise de responsabilité citoyenne est la seule capable de changer la société et de la faire évoluer.

Le fil conducteur unique de cette évolution doit être la possibilité pour l'individu de se réaliser au mieux au cours de son existence.

Avoir la possibilité de conduire librement sa propre évolution et ainsi d'être l'acteur de sa destinée, aux plans matériel, mental et spirituel.

La transition vers la démocratie économique peut se faire grâce à l'action communautaire. Au niveau local, régional, national, les institutions peuvent favoriser cette transition.

Pour les institutions, cela devient une obligation de favoriser la création d'entreprises solidaires telles que les coopératives. Mais il faut que cela devienne une action généralisée et universelle. Dans tous les pays du monde, des exemples abondent pour prouver que le changement est bien en marche.

3. Démocratie dirigée

Le contrôle culturel et mental de la société

Dans son chapitre sur la société de consommation, le site Internet *Global Issues (Problèmes Planétaires)* analyse avec lucidité les relations entre la culture capitaliste et la société que cette culture génère. (1)

Nous en donnons ici un résumé :

À la fin du dix-neuvième siècle, le capitalisme avait atteint une énorme puissance, et les technologies nouvelles permettaient d'accroître indéfiniment la production de marchandises. Cela conduisait à une crise, comme l'explique *Richard Robbins* (2) car la population ne pouvait pas absorber cet excès de production. La société dût donc s'adapter face à la crise, et en fut profondément transformée. Il fallut convaincre les gens de la nécessité d'acheter, et même créer une nouvelle idéologie du plaisir.

La transition d'une société aux valeurs assez équilibrées vers un matérialisme fondamental peut se suivre à la trace entre 1880 et 1930 :

Le gouvernement, aux États-Unis, tout autant que les institutions éducatives se mirent à promouvoir la consommation. Le même mouvement s'étendit aussi aux autres pays industrialisés.

Les travailleurs bénéficièrent d'un pouvoir d'achat élevé pour pouvoir dépenser, et aussi de grandes facilités de crédit.

Cela s'est accompagné d'un changement fondamental des valeurs culturelles et par conséquent d'une mutation des caractéristiques morales de la société. La frugalité, la modestie, la modération ont cédé la place aux dépenses obligatoires.

On pense aussi au changement de la valeur du travail. Le travail bien fait de l'artisan, qui est une valeur en soi dans laquelle le travailleur s'investit profondément, qui est un moyen de développement personnel, devient un simple facteur de production parmi d'autres ; le travail devient une simple composante anonyme et souvent aliénante dans la course au profit. La valeur de l'objet bien fait et celle du travail qui le produit, valeurs nobles et suffisantes en elles-mêmes, cèdent le pas à des valeurs nouvelles, celle de faire de l'argent et celle du plaisir d'acheter.

Au lendemain de la seconde guerre mondiale l'évolution de la société s'observe ainsi (3) :

Le capitalisme et les institutions surent utiliser les moyens de la psychologie moderne pour servir leurs intérêts. Il fallait insuffler dans la société un degré de conformisme souhaitable ; cela permettait de disposer d'un terrain d'économie politique stable et prévisible. Les grosses compagnies ont mis en œuvre les méthodes de la recherche psychologique pour analyser les gens et leurs comportements prévisibles. On pouvait ainsi conduire les gens à acheter les produits proposés tout en leur donnant l'impression qu'en achetant, ils exprimaient librement leur individualité.

« Ce soutien à l'individualisme était d'autant plus précieux qu'il représentait un contrôle social imposé subtilement. On poussait les gens à l'individualisme de façon à supprimer ou à affaiblir tout engagement politique ou social trop fort ; les gens auraient tendance à se retourner vers eux-mêmes exclusivement. »

« Les groupes qui auparavant se préoccupaient de problèmes sociaux se trouvaient transformés et mettaient désormais leurs préoccupations à rechercher et à satisfaire leurs désirs personnels par l'achat de biens matériels. »

« Après que … le grand capital eut réussi à façonner les choix et les opinions populaires, les gouvernements eux-mêmes durent y succomber pour gagner le pouvoir. » « L'encouragement de l'individualisme donnait aux gens le sentiment d'être uniques, de ne pas dépendre de l'état ou du grand capital dans leur existence et leurs choix, alors que c'était bien le grand capital qui était parvenu à influencer en profondeur à la fois les individus et les gouvernements. On savait bien répondre aux désirs des gens, mais leurs droits démocratiques et leurs autres capacités s'en trouvaient sapés. »

Cette philosophie sociale s'étend maintenant à l'ensemble du monde en suivant les principes qui ont présidé à son apparition, et que Richard Robbins résume si bien :

Dès les années 30, « le consommateur se trouvait bien établi aux États-Unis, équipé d'un cadre spirituel et d'un justification intellectuelle qui glorifiait la consommation continue de biens, celle-ci étant présentée comme profondément satisfaisante pour l'individu et économiquement souhaitable, c'était un impératif moral qui mettrait un terme à la pauvreté et à l'injustice … Depuis ce temps-là, nos institutions sociales, et en particulier celles du capitalisme américain sont devenues de plus en plus habiles … à cacher les conséquences négatives de nos comportements, des conséquences telles que l'exploitation des travailleurs, les dégâts sur l'environnement, la pauvreté et les inégalités croissantes dans la répartition des richesses. » (4)

***

Si donc nous croyons vivre et penser librement dans une société démocratique, nous sommes loin du compte. Certes, nous avons bien cette impression, d'autant plus qu'on nous la souffle à l'oreille, mais en réalité les caractéristiques de notre société et de la culture qu'elle exprime sont façonnées par ceux qui ont le pouvoir d'agir sur la société, pour leurs besoins propres, et non pas par le peuple lui-même, pour les besoins qui sont les siens.

Ainsi, on nous a donné la société de consommation, qui est certes pleine d'agréments, mais qui ne nous laisse pas vraiment la liberté de pensée, la liberté de choisir nos valeurs. On nous conduit désormais vers les supermarchés remplir notre chariot, c'est certainement mieux que de se faire conduire vers les tranchées sur un front de guerre, mais nous avons encore matière à faire mieux.

C'est l'expression de notre mode d'existence, les caractéristiques de notre société, la qualité du milieu de vie, qui se trouvent entièrement façonnés par les valeurs qui ont été choisies à notre place.

Cela façonne la qualité de notre vie, ses orientations. Ce ne sont pas seulement les galeries marchandes qui sont modelées pour créer un état d'esprit encourageant la consommation ; ce mode de vie détermine aussi les conditions dans lesquelles s'exerce le travail, le niveau d'exploitation des ressources, l'enflure du PIB, le gonflement de la population, le rythme psychologique de l'existence (le degré de stress et de compétition), le genre de distraction, et plus encore :

On flatte nos besoins les moins nobles, et la vie se résume à ça : quand on a consommé un yaourt en se léchant les babines, comme nous l'enseignent les commerciaux télévisés, de quoi d'autre aurions-nous besoin ? La dernière voiture, la résidence rénovée, la fierté de nos possessions qui consacrent notre statut social … Nous suivons sagement en troupeau silencieux, satisfaits et bien gavés, sans réaliser qu'il manque une vision plus élevée dans la définition de notre culture sociale, et que ce contrôle invisible qui nous gâte est aussi une machine infernale impossible à stopper, qui pourrait nous apporter les plus grands malheurs.

* * *

Certes, le grand capital contrôle notre culture de consommation par l'intermédiaire des médias, mais cette mainmise sur la société va beaucoup plus loin, elle exerce son action comme une subtile mise en tutelle de la liberté de penser.

Sur son site Internet *Global Issues* Anup Shah présente une remarquable analyse de ce contrôle mental de la société dans son chapitre sur les médias. Nous lui empruntons quelques données dans les pages qui suivent.

Le premier trait de cette tutelle s'observe auprès des publicitaires. Ceux-ci exercent une influence sur le contenu des programmes audiovisuels, afin que ce contenu crée un état d'esprit favorable à l'achat de leurs produits. Les questions trop complexes ou les controverses dérangeantes nuisent à la prédisposition à acheter un produit. Par conséquent, les programmes télévisés tendront vers le niveau imbécile, les présentations informatives de sujets importants passeront au second plan. Ou bien on attirera notre attention sur des faits divers exploités avec sensationnalisme, ce qui gardera notre esprit encore bien éloigné d'enjeux plus graves qui pourtant nous concernent davantage.

Certaines questions cruciales comme l'altermondialisme ne sont traitées que sous le jour d'évènements épisodiques, sans mettre en lumière les vrais problèmes auxquels ce mouvement s'adresse.

Les médias ne couvrent pas les sujets qui vont à l'encontre des intérêts de leurs clients publicitaires, les sujets traités sont ceux qui sont les plus attrayants pour les spectateurs et les lecteurs. Cette influence des publicitaires touche autant les télévisions que la presse écrite.

Jon Prestage témoigne dans un article en ligne (5) comment les journalistes de la presse électronique ou écrite sont soumis à « d'énormes pressions pour remplacer les valeurs civiques par des valeurs commerciales. » Les stations locales sont soumises à des pressions de la part des compagnies pour « divertir » au lieu d'informer.

Parmi les truquages courants dans l'information, le choix des invités, souvent sélectionnés en fonction de leur tendance politique, en écartant tous ceux qui soutiendraient des opinions dissonantes. Mais cela peut aller encore plus loin : ainsi, par exemple, on a fait intervenir dans des émissions des analystes militaires pour commenter des guerres. Or, il se trouvait que ces gradés en retraite, favorables à la poursuite de ces guerres, avaient des liens étroits avec l'industrie de l'armement. Le public ne pouvait s'en douter, et pouvait boire docilement l'information ainsi distillée d'une manière apparemment objective.

La démocratie repose sur un principe fondamental : celui de l'expression de la volonté populaire, ou de l'approbation populaire. Cela signifie nécessairement un consentement informé. Lorsque l'information du public est infléchie pour correspondre aux souhaits des dirigeants, c'est le principe fondamental de la démocratie qui se trouve perverti. On dit que cet infléchissement de l'information fait lui-même partie du jeu démocratique, mais ce n'est plus le cas lorsque cette emprise représente un contrôle mental imperceptible et soigneusement verrouillé.

Michael Parenti a mis en lumière quelques procédés utilisés pour manipuler l'information. (6) En voici un résumé :

Comment les médias, qui expriment l'idéologie de la classe dominante parviennent-ils à donner l'impression qu'ils sont libres, indépendants, équilibrés et objectifs ? Leur partialité ne se produit pas par hasard puisqu'elle suit des lignes permanentes : préférences pour les entreprises contre les travailleurs, pour les partis en place contre les partis gauchistes, pour le libéralisme et la privatisation contre le secteur public …

Michael Parenti identifie les procédés utilisés :

L'omission de nouvelles gênantes concernant par exemple les activités des gouvernements dans les zones d'ombre. **Attaques** pour jeter le discrédit sur les sources d'où proviennent les informations gênantes. **Étiquetage** des nouvelles pour leur donner une connotation négative ou positive. Des qualifications assez floues, telles que « gauchistes » ou « terroristes » orientent le sentiment. Des « réformes » peuvent signifier la suppression de programmes sociaux. **L'implication préétablie** : sur une proposition de dépense militaire, par ex., la discussion se limitera à dire quel degré d'augmentation est acceptable, et non pas à savoir si la dépense elle-même est justifiée ou non, cela est acquis, entendu d'avance. **Transmission au pied de la lettre** d'une information, sans décortiquer ce qu'elle représente, on peut dire «liberté des marchés» «mondialisation» sans mentionner que cela signifie donner tous les avantages aux multinationales. **Exclusion du contenu** par rapport aux informations secondaires. On parlera de la durée d'une grève, de son coût, de ses inconvénients, mais pas des motivations qui l'ont provoquée. **Équilibrage truqué** : les bons reportage doivent puiser leur sources des deux côtés des adversaires, ou plus; or souvent ce n'est pas le cas, une partie importante de l'opinion n'a pas accès à la parole. **Coupure des explications** : lorsque la réponse d'un invité demanderait davantage de développement, on coupe court si cela ne va pas dans le bon sens, on pose une autre question, ou passe un message publicitaire, etc. ... **Le cadrage**, est un conditionnement qui permet de modifier la vérité sans la nier, en maintenant une objectivité apparente. On joue sur l'atmosphère qui entoure la présentation de la nouvelle, le ton, la sympathie ou la réprobation, les effets visuels, etc.

Michael Parenti conclut son article sur ces mots : «Les médias font remarquablement bien leur travail. Leurs gens sont formés à ne pas pouvoir rendre la vérité. Leur travail n'est pas d'informer, mais de désinformer, ce n'est pas de faire avancer le discours démocratique, mais de le diluer et de le mettre en sourdine.»

Pour tout remettre en perspective, il faut reconnaître que les médias nous apportent une masse d'information dans laquelle il est possible malgré tout d'évaluer où se trouve la vérité sous-jacente. La vérité contient en elle-même une puissance qui lui permet de se manifester à travers les brouillages. Les médias nous fournissent aussi quelques magnifiques coups d'éclat, surtout dans le journalisme d'investigation capable, à l'occasion, d'un courage surprenant.

Nous sommes excessivement bien informés sur les évènements qui se produisent dans le monde. Et pourtant …

Et pourtant la réalisation d'une démocratie vraie est tellement cruciale pour le sens de l'existence humaine que nous devons nous rendre compte du chemin qu'il reste à parcourir, et comment le parcourir.

C'est le chemin qu'il reste à parcourir pour atteindre une véritable liberté de pensée. Nous avons vu à quel point l'information peut être manipulée et orientée, mais le subtil

contrôle mental de la société va encore plus loin : il interdit la pensée dans certains domaines. Il y a des zones hors limites dans lesquelles nous ne nous aventurons pas, et cela constitue la clé de l'évolution de la société, la clé de l'issue des problèmes.

Pour développer ce point, il convient de laisser la parole à Noam Chomsky et Edward Herman, qui ont mis au jour ce procédé tacite.

Chomsky : Vers les années 20 « on s'est tourné vers les technologies de « la fabrique du consentement ». L'industrie des relations publiques produit, au sens propre du terme, du consentement, de l'acceptation, de la soumission. Elle contrôle les idées, les pensées, les esprits. Par rapport au totalitarisme, c'est un grand progrès : il est beaucoup plus agréable de subir une publicité que de se retrouver dans une salle de torture. »

… « La finalité de la démocratie, c'est que les gens puissent décider de leur propre vie et des choix politiques qui les concernent … »

… « Dans ce monde, il existe des institutions tyranniques, ce sont les grandes entreprises. C'est ce qu'il y a de plus proche des institutions totalitaires. Elles n'ont, pour ainsi dire, aucun compte à rendre au public, à la société ... Pour s'en défendre, les populations ne disposent que d'un seul instrument : l'État. Or ce n'est pas un bouclier très efficace, car il est, en général, étroitement lié aux prédateurs … »

« Le socialisme tel que je le conçois, implique, au minimum, je le répète, le contrôle démocratique de la production, des échanges, et des autres dimensions de l'existence humaine. » (7)

« La manière futée pour que les gens demeurent passifs et obéissants consiste à limiter strictement le champ des opinions acceptables, mais à permettre des débats très vifs à l'intérieur de ce champ – quitte à encourager les opinions critiques ou dissidentes. Ainsi les gens sont persuadés qu'il existe une pensée libre, alors que pendant ce temps, les présuppositions adoptées par le système se trouvent renforcées grâce aux limites imposées à l'étendue du débat. » (8)

« L'effet de ces filtres produit une domination des médias par les élites et une marginalisation des dissidents qui se produisent si naturellement que les acteurs de l'information dans les médias, agissant souvent avec une intégrité et une bonne volonté totales, en arrivent à se convaincre qu'ils choisissent et interprètent les nouvelles « objectivement, » selon leur code de valeurs professionnel. À l'intérieur des limites imposées par les filtres, ils sont souvent objectifs ; Les contraintes sont si puissantes, et sont incorporées dans le système de manière si fondamentale qu'il serait à peine imaginable de pouvoir choisir les nouvelles sur des bases différentes. » (9)

Ainsi, le procédé fondamental du contrôle de la pensée consiste à filtrer l'information de sorte à écarter toute idée hors norme et à maintenir le débat et l'information dans des limites définies. Dès lors, on comprend que ce subtil contrôle de la pensée assure un statu quo parfait sur les principes fondamentaux qui régissent la société. Ils ne seront jamais mis en cause. Toutes les discussions, les écrits, les idées demeurent dans la zone du « politiquement correct, » dans les limites entendues à l'avance sans que cela soit dit. Toutes sortes d'opinions seront agitées, mais en tournant en rond dans un champ limité. Les penseurs, les chercheurs demeurent ainsi quelque peu infantilisés, un peu comme le seraient des enfants très occupés, traficotant toujours les mêmes jouets sélectionnés, les mêmes concepts limités.

***

En fait, les conditions sociales et culturelles que nous connaissons sont notre point d'aboutissement. Le point d'arrivée actuel de notre évolution, que celle-ci ait été naturelle ou bien entraînée par une déviation sur notre chemin.

À tous les points de vue, notre société révèle soit un malaise permanent soit un besoin d'avancée et d'amélioration.

Les réflexions précédentes montrent que les humains se laissent conduire en troupeau, et qu'ils n'en ont même pas conscience car on prend bien soin de leur faire capter l'impression contraire.

Nous avons beaucoup à faire pour améliorer notre condition. La société paraît passablement malade, si on tient compte des dégâts engendrés par notre mode de vie: le stress, les dépressions et suicides, y compris chez les jeunes, l'étendue de la criminalité violente, l'abus de drogues et d'alcool, les détresses économiques etc.

Alors que faire ? Devons-nous rester là où nous sommes cantonnés, et accepter la situation dans la passivité ? C'est ce que l'on attend de nous. Demeurer acquis à des valeurs matérialistes, à une existence de soumissions pour produire et consommer sagement selon les normes prévues.

Ou bien on accepte un être humain qui a droit à une liberté et à une responsabilité fondamentales et complètes pour déterminer les conditions d'exercice de sa destinée, ou bien on accepte un être humain résigné à exister en troupeau, sans autonomie, sans décision, sans connaissance, sans pouvoir d'action sur les conditions de son existence.

Dans l'intimité de la conscience, nous nous permettons des opinions dissidentes, nous recherchons le chemin qui est le meilleur pour nous, tout en souhaitant qu'il soit aussi le meilleur pour tous. Les difficultés inhérentes à nos conditions de vie nous font progresser individuellement.

Notre évolution personnelle dépasse les cadres établis dans le débat public. Nous sommes libres d'évoluer spirituellement en dehors des cadres établis par le contrôle culturel et mental de la société. Mais il se trouve que lorsqu'on arrive sur le terrain politique, cette évolution personnelle se heurte précisément aux barrières dont parle Noam Chomsky.

Quels seraient ces «nouveaux» concepts hors normes issus d'une libération de la pensée, et capables de faire progresser la société ?

Si on tente de définir le champ de pensée qui dépasse les contraintes des filtres sociaux on voit qu'il s'agit des valeurs morales. Ce sont les valeurs morales qui sont mises à l'écart par les systèmes de contrôle de la société.

On a coutume de penser que les valeurs morales sont intimes, personnelles et en dehors du domaine politique général. C'est justement là une barrière qui est installée. C'est un faux argument de maintenir que les valeurs sont subjectives et non générales. Les valeurs morales, ou spirituelles sont innées et universelles. Et ce sont elles, précisément, qui font le lien entre la pensée individuelle et la conscience collective, entre l'engagement individuel et l'action collective, entre l'évolution personnelle et l'évolution sociale.

Un bon exemple de valeur spirituelle universelle, c'est la droiture. Ce n'est pas dans les détails des us et coutumes qu'il faut chercher les valeurs fondamentales. C'est au fond de l'âme humaine. Dire qu'une valeur est subjective ne signifie pas qu'elle soit erronée.

– Ah ! Direz-vous ! Ah ! Mais un fanatique est absolument sincère et il croit agir en toute rectitude !

C'est vrai, et c'est la preuve qu'elle est en lui, la droiture, même si dans son cas elle n'est malheureusement pas développée. La droiture doit tenir compte de l'ensemble du tableau, elle ne peut pas se fonder sur un seul point, une seule orientation comme le fait le fanatique. L'âme humaine doit s'affiner et se développer, ses dons doivent croître, la conscience doit s'élargir, c'est un travail continu de toute l'existence. Les qualités qui sont universelles ne sont pas uniformément développées chez tous.

Le développement spirituel, c'est précisément le développement de la droiture. Elle est personnelle, mais elle doit aussi être exprimée extérieurement, sans quoi elle n'est pas complète. C'est ainsi que se créent les liens personnel-général, individuel-collectif, subjectif-objectif, intérieur-extérieur, réflexion-action.

Il est facile de trouver des exemples de ces zones qui sont en dehors des limites du discours officiel. Ce sont les zones des exigences morales : la solidarité, la compassion, le travail des ONG, des activistes sociaux, des altermondialistes, les créations d'entreprises solidaires, les œuvres de bienfaisance, le bénévolat, les journaux satiriques, les médias alternatifs indépendants, les œuvres de réflexion originales, les créations musicales et artistiques regénérantes, les recherches spirituelles et mystiques …

* * *

Le matérialisme, c'est-à-dire l'idée que le sens de la vie consiste essentiellement à assouvir des désirs matériels, est un piège. Bien sûr il faut répondre à tous les besoins, et de façon complète et entière. Mais la recherche de la satisfaction perpétuelle est un exercice sans fin, destructeur et réducteur. Il vaudrait mieux pour les humains de laisser grandir les valeurs spirituelles qui sont en eux et qui tissent des liens solidaires avec les autres, qui construisent ainsi un meilleur tissu social, une meilleure expression politique. Ces valeurs profondes peuvent conduire vers un bien-être assuré, un bonheur véritable et général au-delà de nos misères actuelles.

Il ne peut pas s'agir d'évolution conçue théoriquement puis mise en application. À la manière des changements dans les systèmes biologiques et écologiques, c'est de l'intérieur que naît l'initiative du changement, stimulée par les modifications apparues à l'extérieur.

C'est des profondeurs de l'âme que naissent les corrections, elles sont individuelles et spirituelles.

4. Démocratie véritable

Nos sociétés sont le lieu d'un combat permanent entre diverses forces qui cherchent à protéger leurs avantages. Le résultat de ces conflits invisibles est de maintenir la majorité de la population dans une condition qui limite ses droits fondamentaux et le développement de son potentiel humain.

De régressions en progressions, la tendance générale est une évolution vers la démocratie. Laissons de côté les formes anciennes qui ne correspondent plus à rien, et examinons la démocratie parlementaire moderne, donnée comme exemple de la meilleure organisation politique.

Définir les institutions démocratiques

Il est donc déclaré traditionnellement que la démocratie se fonde sur la séparation et l'équilibre des pouvoirs politiques. Lorsque toutes les branches des institutions ont des pouvoirs égaux qui s'équilibrent entre eux, tous les acteurs peuvent remplir leurs fonctions sans que l'un ou l'autre ne puisse abuser, ce qui se ferait au détriment du bien général.

Le pouvoir législatif

La plus importante prérogative du pouvoir parlementaire est de contrôler le budget. Le parlement doit avoir le pouvoir exclusif d'autoriser non seulement la levée de l'impôt, mais aussi les dépenses. Tel est le principe fondateur de la démocratie. Tout pays dans lequel le contrôle des dépenses ne dépend pas exclusivement du parlement est donc une pseudo-démocratie.

Tel est le critère-clé nécessaire et suffisant pour identifier une démocratie véritable, et la raison s'en trouve dans l'histoire même de la genèse de cette institution. En effet, la démocratie est apparue progressivement au cours des huit derniers siècles dans l'affrontement entre les barons d'abord, puis la bourgeoisie contre le pouvoir royal absolu. Plus les gens s'enrichissaient, plus ils étaient en mesure de s'opposer aux levées d'impôts arbitraires et continues d'un pouvoir royal autocratique.

La règle devint «pas de taxation sans représentation.» La représentation signifiant l'existence d'une assemblée parlementaire capable d'approuver, ou de refuser, les niveaux d'impôts, puis la dépense des argents publics.

Ainsi le peuple a-t-il conquis sa protection fondamentale, celle d'être représenté par une institution puissante, placée sur un pied d'égalité complète avec le pouvoir exécutif. La représentation du peuple par un parlement signifie que celui-ci se voit confier la charge de veiller aux intérêts du peuple, et cela signifie premièrement et essentiellement de veiller à ses intérêts pécuniaires.

Le pouvoir du peuple souverain, il est dévolu au parlement, le pouvoir du peuple souverain, c'est son argent.

Ce n'est pas primordialement le vote qui détermine la

démocratie. Toutes les dictatures font largement usage du vote. Le vote est simplement la façon logique de permettre la mise en place de la fonction parlementaire, et aussi de lui donner sa légitimité, mais le vote ne définit pas cette fonction.

Il est bien évident que lorsque le parlement ne tient pas les cordons de la bourse, comme c'est le cas dans les pseudo-démocraties, le parlement n'a pas de pouvoir réel et effectif, mais seulement un pouvoir illusoire. Dans de telles démocraties partielles, le rôle du parlement est surtout de légitimer l'impôt, de voter les lois que l'exécutif lui soumet mais il n'est pas en mesure de représenter effectivement les intérêts du peuple contre les excès de l'exécutif.

L'imposition et la dépense sont alors déterminés par l'exécutif aidé d'une caste administrative dont le premier souci n'est pas le bien-être populaire, mais ses objectifs propres. La fonction parlementaire n'est plus alors rien d'autre qu'un paravent pudique. En réalité, le pays est dirigé par une classe bureaucratique non élue qui poursuit ses propres objectifs, ses propres politiques, ses propres ambitions. Il y a toutes les chances pour que ces orientations soient tout à fait autres que ce que le peuple souverain bien informé aurait décidé pour lui-même.

Ce sont des pays où le peuple est soumis à une incessante multiplication des impôts, qui se prolonge même dans le futur à cause des déficits et des dettes. On peut même y voir des lois être adoptées sans vote. Le rôle de l'assemblée dans les grandes options politiques se réduit à manifester une opposition de principe ou bien une approbation conforme, puisque souvent les députés font partie pour une part importante, non seulement du même parti, mais aussi de la même caste de fonctionnariat que l'administration gouvernementale. Il existe donc un certain degré de collusion entre le législatif et l'exécutif.

Il ne suffit pas que les représentants soient élus pour établir une démocratie, il faut que ces représentants aient un pouvoir réel, autre qu'une simple figuration dans un décor de théâtre en carton. Une constitution établissant un régime présidentiel qui ne donne pas des pouvoirs égaux au parlement fonde nécessairement un régime fascisant.

Il existe d'excellents modèles d'institutions politiques équilibrées qui ont été écrites par des sages clairvoyants et font leurs preuves en traversant les siècles sans encombre. Elles précisent en détail les rapports entre l'exécutif et le législatif, cela est un remarquable facteur d'équilibre.

Néanmoins, la démocratie, comme tous les autres régimes, doit faire face à des problèmes particuliers, comme par exemple celui de l'éclatement et de la multiplication des partis qui peut aller jusqu'à rendre un pays ingouvernable. La constitution et les modes électoraux doivent veiller à éliminer cet écueil. Si la constitution accorde au parlement son pouvoir essentiel de contrôle de l'exécutif, ce pouvoir par contre est nécessairement fondé sur l'expression d'une majorité.

La constitution doit donc prévoir un mode électoral qui assure la formation d'une majorité. La démocratie exige une discipline envers l'intérêt commun qui doit dominer la tentation égotiste de former son propre courant, son propre parti au détriment du fonctionnement général.

Par conséquent, la démocratie nous enseigne surtout une leçon fondamentale sur les politiques publiques. C'est que personne ne détient la vérité entière, car tous en possèdent un petit bout. Le totalitarisme est seul à posséder la vérité absolue.

En démocratie, il faut accepter d'avoir raison à demi, ou accepter d'attendre pour pouvoir montrer jusqu'où on a raison, et cela se fera à l'occasion de la prochaine alternance. Car on ne peut pas non plus avoir raison en permanence.

C'est justement le mérite du système : de draguer assez large pour ne pas laisser la vérité lui échapper. Et c'est pourquoi on peut avoir confiance dans des décisions démocratiques qui paraissent incomplètes ou imparfaites, ou contraires aux dires d'experts. Elles se révéleront les meilleures à long terme.

C'est là voir que la démocratie exprime vraiment le caractère de la vie, qui est basé sur l'évolution dans un milieu dynamique.

Un autre des problèmes dont on ne voit pas la fin est celui de la corruption, ou des emprises d'influence.

Nous avons observé dans les premiers chapitres combien les dépenses militaires excessives obèrent la vie des populations, combien le contrôle mental que le capital impose insidieusement cadenasse la liberté de penser et conditionne l'expression culturelle.

Il en est de même au niveau des institutions politiques. Les institutions reproduisent le même schéma qui se trouve à grande échelle dans le pays.

Ainsi, sur le sujet de la corruption, il est toujours pratique courante que l'allégeance des partis politiques soit asservie, à droite comme à gauche, par les puissances argentées. On limite par exemple les contributions aux partis politiques, mais il existe de multiples façons de faire passer les gratifications de manière peu visible. On dit que les politiques ont des costumes bien taillés, et équipés de poches multiples.

On peut fournir aussi des emplois rémunérateurs aux membres de la famille, des promesses de pantouflage, etc.

Tant et si bien que certains acteurs économiques parviennent régulièrement à s'acheter dans un pays la politique qui leur convient. Ou que certaines classes sociales parviennent à faire instituer la taxation qui leur convient. (1)

Si les lobbies ont libre cours, la démocratie devient déformée et injuste. Elle permet l'extension permanente des inégalités, des privilèges. Les plus favorisés se rendent maîtres du jeu à leur avantage, c'est le libéralisme économique créateur des inégalités et des conflits sociaux que l'on présente sous forme de « démocratie économique ». En fait il ne s'agit pas de démocratie, mais d'oligarchie feutrée.

Par conséquent il est nécessaire de parvenir à ce que les principes fondamentaux soient respectés et qu'il n'y ait de préférence envers aucun groupe social pour influencer les décisions. Cela s'applique aussi bien aux groupes susceptibles de léser brutalement les classes possédantes au moyen de taxes, nationalisation, et autres formes de dépossession.

En général, l'action des groupes d'intérêt est encadrée. Il est vrai que le lobbyisme apporte au législateur des informations essentielles et cela permet de mieux représenter les besoins de la société civile. Les lobbies ne représentent pas seulement des puissances économiques, mais aussi des ONG et toutes sortes d'associations libertistes. Ils permettent de faire entendre des groupes minoritaires. C'est l'expression d'un fonctionnement participatif justifié.

Cependant, le travail des lobbyistes demeure peu transparent, les garanties sont superficielles. On ne sait pas trop qui se cache derrière des sociétés écrans ou des organisations à but non lucratif ou des experts dits indépendants.

L'argent dépensé de manière ouverte se chiffre en milliards. Qu'en est-il de celui qui n'est pas déclaré ?

Le pouvoir exécutif

La fonction exécutive est hautement intoxicante, car elle est portée par le regroupement focalisé de l'énergie individuelle de tous les citoyens, et le personnage en fonction peut dériver et penser que ce pouvoir vient de lui-même, ou penser que c'est l'occasion de laisser s'exprimer son propre génie qui ne s'était jamais aussi bien révélé auparavant.

Pour éviter les coups d'accès à la folie des grandeurs, il a déjà été suggéré que tous les candidats au poste aient été préalablement psychanalysés. C'est une garantie bien difficile à réaliser, mais qui rappelle à quel point cette fonction est à surveiller.

Dans un état totalitaire, le pouvoir autocratique s'autojustifie en s'appuyant sur une idéologie, mais dans tout état nation il existe la même tentation de justifier l'excès de pouvoir exécutif par une sorte quelconque de principe supérieur, la sécurité du pays, par exemple, ou plus couramment, la grandeur de la nation.

Ce point particulier mérite une attention spéciale. Il devrait être clairement établi si un pays se consacre à une politique de grandeur ou plutôt à une politique visant à assurer les meilleures conditions d'existence à sa population. Toutes les ressources et les mécanismes de l'état appartiennent au pouvoir exécutif, qui peut donc à loisir s'en servir pour mettre en œuvre ses propres options.

Ainsi un état peu démocratique visant une politique de grandeur peut-il mettre en place une politique démographique particulière, et cela sans que cette politique soit clairement énoncée auprès du public.

Ou bien une politique énergétique particulière peut être mise en place sans vrai débat ni information complète.

Dans les démocraties encadrées, on se méfie de l'opinion des élus, on leur préfère l'avis de technocrates qui du reste sont souvent chargés de convertir les élus aux idées du gouvernement. Or les élus sont porteurs du sentiment populaire et donc susceptibles de faire des choix plus avisés que les comités d'experts dont la vision est forcément limitée.

Néanmoins, l'exécutif assure aussi un rôle d'équilibre, le poids de l'administration et de ses technocrates se place en contrepartie aux demandes des parlementaires ou des citoyens pour déterminer les meilleures décisions.

C'est le cœur même de l'équilibre politique. La démocratie est fondée sur des valeurs morales. Elle implique une manifestation de confiance entre tous les partenaires. On fait confiance à l'exécutif d'être un bon gestionnaire dans son domaine de compétence. De même on fait confiance au législatif dans son contrôle des politiques générales. Ainsi les grandes orientations – telles par exemple que le choix d'une politique de puissance ou non – doivent se faire au grand jour

Donner la priorité à une politique de grandeur entraîne au bout du compte des différences très importantes, et qui ne constituent pas forcément le meilleur choix pour la population. Si une politique de grandeur est mise en œuvre tacitement, la population se trouvera simplement placée devant un fait accompli.

Dans ce cas, l'existence de tous les citoyens se trouve vouée à pourvoir à la mégalomanie des dirigeants, et forcément au détriment des besoins des citoyens eux-mêmes. Cela se révélera par une ponction subtile des ressources, quoi qu'elle ne soit pas si subtile que ça si on examine les prélèvements à payer. Dans les pseudo-démocraties, une partie notable des ressources peut être dépensée en pure gloriole.

La politique de grandeur est le miroir de conceptions individuelles égotistes, elle entrave la progression vers un monde fondé sur la coopération.

Il est donc essentiel que des institutions équilibrées permettent de «maintenir l'état à sa place.» Lorsqu'un pays élit le chef de l'exécutif, on a parfois l'impression qu'on s'en remet à un chef visionnaire. Mieux vaut considérer que rôle de l'exécutif est d'être avant tout un bon gestionnaire.

Des millions de gens se sont sacrifiés et sont morts pour «défendre leur patrie» sans savoir que ce qu'ils étaient amenés à défendre c'était en fait les intérêts de leurs maîtres et les ambitions de leurs dirigeants.

Dans certains pays, chaque ville et village possèdent un Monument aux Morts qui porte la liste des soldats tombés dans les guerres. En y regardant de plus près, on s'aperçoit que chacun de ces noms lance un appel muet mais éternel pour que les citoyens contrôlent enfin leurs dirigeants et le déroulement de la vie politique.

Le pouvoir judiciaire

Traditionnellement, le pouvoir judiciaire est présenté comme une institution assurant l'équilibre entre les autres pouvoirs, il en est l'arbitre. Il doit bien sûr être réellement indépendant des autres pouvoirs.

En pratique, l'indépendance des juges est une excellente norme grâce à laquelle un citoyen peut mesurer le niveau démocratique de son pays.

À lui tout seul, un petit juge intègre doit pouvoir résister sans inquiétude à tout le poids du pouvoir exécutif. C'est-à-dire, dans une démocratie véritable.

Le quatrième pouvoir

Qui contrôle les médias contrôle l'opinion et donc contrôle la société. C'est pourquoi les médias sont chapeautés par la bureaucratie étatique, ou bien appartiennent à des groupes privés, de sorte que les maîtres de la société puissent veiller à leurs intérêts essentiels.

Dans les démocraties véritables, le rôle des médias est celui de chien de garde de la démocratie. Celui qui doit être prompt à aboyer s'il renifle une transgression.

Ainsi le journalisme d'investigation et les médias indépendants peuvent-ils apporter les éléments nécessaires pour orienter correctement l'opinion et les choix populaires.

Dans la réalité, il faut bien reconnaître que les médias principaux sont plutôt le chien du maître. Le chien qui conduit et maintient le troupeau là où il faut.

Les médias encadrent sagement l'opinion au profit des pouvoirs. On sélectionne l'information, on prépare l'opinion aux mesures à venir, on explique ce qu'il faut comprendre, on peut présenter des faits sans mettre en perspective ce qu'ils représentent, etc.

Il reste tout de même quelques médias marginaux qui s'égosilleront sans être entendus par un nombre significatif de lecteurs ou d'auditeurs, mais serviront d'utiles témoins d'honnêteté.

L'information est l'élément essentiel, vital de la démocratie parce que c'est elle qui détermine la qualité des orientations populaires. Il ne faut pas avoir peur du verdict des urnes. Si l'information est honnête et diversifiée, le choix populaire sera infailliblement bon.

Tel est le credo de la démocratie. On peut avoir confiance dans la décision du peuple : elle est juste, mais dans la mesure de l'honnêteté et de la pluralité de l'information. Elle peut certainement être égarée dans des choix regrettables si l'information générale est trop manipulée et tendancieuse. Si le public reçoit une information variée et contradictoire, la sagesse populaire saura faire le meilleur choix.

Les organes indépendants sont le souffle vital de la démocratie, c'est pourquoi on pourrait envisager l'existence de quelques médias neutres soutenus par la collectivité et ouverts à toutes les expressions qui ne sont pas iconoclastes.

Pour assurer le fonctionnement normal d'une démocratie, il est donc vital que les organes d'information soient considérés comme le quatrième pouvoir faisant partie des institutions au même titre que les autres pouvoirs, bénéficiant du même privilège de confiance et d'indépendance et des mêmes devoirs de vertu que les autres pouvoirs.

Les droits les plus importants, qui sont souvent refusés aux journalistes dans les démocraties bidon et les régimes autoritaires sont :

– L'accès facile et immédiat aux sources documentaires. Les documents concernant les politiques publiques n'appartiennent pas à l'état de façon discrétionnaire. Les citoyens et journalistes doivent avoir librement accès aux documents publics.

Le pouvoir se trouve là où est l'information, c'est pourquoi l'accès aux documents est souvent restreint.

– La protection des journalistes, de leur travail et de leurs sources, de sorte qu'ils puissent recevoir librement et de toute part toute information d'importance.

Il existe déjà d'excellents modèles de lois protégeant ainsi leur travail.

Les partis extrémistes sont souvent exclus des médias et privés de parole, alors que leur voix doit être entendue. Elle va se discréditer d'elle-même si elle est iconoclaste ou en dehors des normes sensées, et dans le cas contraire, elle peut apporter quelques idées utiles à examiner. C'est un déni flagrant de démocratie que l'on peut observer dans les démocraties tenues en laisse. Leur signe distinctif est d'avoir peur de l'opinion.

Le cinquième pouvoir

Il y a cinq forces fondamentales dans la nature. On retrouve naturellement cinq forces en équilibre dans la société politique. Deux forces restrictives, l'exécutif et le judiciaire, font pendant à deux forces créatrices et productrices, le législatif et l'informatif. Mais ces forces entourent le cinquième pouvoir au centre, celui qui suscite les quatre autres et leur permet d'exister. Celui qui crée le champ d'action sur lequel les autres jouent la partie.

Le cinquième pouvoir, c'est le citoyen, c'est à dire l'opinion, les syndicats, le peuple, la rue.

L'idéal démocratique veut que chacun puisse participer aux débats, au moins mentalement, alors il est nécessaire que les débats soient pleinement ouverts au niveau des groupes, des médias, et pas seulement dans les hautes sphères.

Les débats ouverts de la démocratie empêchent l'agglutination fasciste de toutes les consciences sur un même projet ou un même leader. Ils empêchent les sentiments de foule et les mouvements de masse dans ce qu'ils ont d'asservissant.

Lorsque les débats d'une société existent à tous les niveaux on comprend que la démocratie est vivante.

De même, lorsque les affaires ont tendance à se régler dans la rue, alors on prend la mesure de l'absence de démocratie véritable.

L'état et le citoyen

Dans le même registre, il est important de surveiller le droit des dirigeants à gouverner par décrets, ordonnances et règlements. Peut-on concevoir que dans une démocratie des dispositions importantes puissent passer sans vote ? Il faut que soit affirmé le droit du parlement à intervenir dans quelque domaine que ce soit, car le peuple, par ses représentants, doit pouvoir intervenir dans tous les domaines.

L'état peu démocratique agit pour agrandir constamment ses prérogatives et limiter les libertés. L'état peu démocratique a horreur de l'idée même de liberté, il supporte mal de laisser aux citoyens leur latitude et liberté d'action nécessaire. L'idée des gouvernants est que les citoyens risquent de faire mauvais usage de la moindre liberté qu'on leur laisse. Nous sommes ici au cœur des relations entre l'état et les citoyens.

La démocratie est fondée sur la confiance envers les citoyens et leur capacité de jugement. Constater le droit des citoyens à la liberté de jugement va de pair avec le libre exercice de ce jugement dans son existence quotidienne. La même confiance qui est accordée au législatif, à l'exécutif, au judiciaire et à l'informatif dans l'exercice de leur fonction revient aussi au citoyen dans sa vie quotidienne.

Dans les pseudo-démocraties, on se trouve en présence d'un état touche à tout qui peu à peu envahit tous les domaines de l'existence. Et il s'agit souvent de matières importantes : contrôle des médias, organisation des services de police et de renseignement, fichiers sur les individus, etc.

D'autre part, en appliquant des politiques qui s'ingèrent dans tous les aspects de l'existence, l'état finit par créer des classes de citoyens dépendants qui peuvent tout attendre de l'état et deviennent peu enclins à se prendre en charge.

Dans cette situation, l'état ne cesse d'asservir davantage le citoyen. Sous couvert de se placer au service du peuple, il met le peuple sous sa dépendance envahissante. Certains auteurs parlent alors de l'apparition d'un état monstre, d'un Léviathan omniprésent et omnipuissant. Cela n'est pas de la démocratie.

On observe la même chose dans des matières de moindre importance. Les ministères peuvent apparaître semblables à des araignées qui tissent interminablement des toiles de règlements enserrant de plus en plus l'autonomie des individus.

Chaque activité, chaque geste, chaque initiative se trouve encadrée, délimitée, contrôlée, alors même qu'il n'y a pas le moindre risque. Le citoyen se trouve ligoté dans un cocon de plus en plus contraignant dont le résultat est surtout d'infiltrer partout et de plus en plus la présence de l'état. Peu importe que ces réglementations soient souvent trop nombreuses pour être réellement appliquées.

Peu importe que ces réglementations soient si étouffantes qu'elles deviennent nuisibles en supprimant la créativité autonome. La définition politique de la société dans laquelle on vit a une incidence sur tous les aspects de notre existence.

Conclusion

On peut légitimement penser que la démocratie se définit comme une vertu : c'est-à-dire un idéal, qui n'est pas hors de portée, mais qui demande des efforts continus pour l'atteindre et pour le maintenir.

La démocratie est un exercice éthique, c'est la réalisation permanente d'un équilibre vertueux, elle ne peut devenir génératrice d'inégalité ou d'injustice. L'état ne doit appartenir ni aux classes possédantes ni aux classes démunies, ni à une branche du pouvoir, ni à un parti, ni à une classe politique ni à une caste administrative.

Beau programme ! Et tout changement dans cet équilibre doit provenir non pas d'une mainmise sur le pouvoir, mais d'une évolution systémique, d'une transformation progressive, naturelle et autonome dans l'organisation de la société.

C'est le rôle de la démocratie de permettre ces transformations dans l'harmonie, l'équilibre dynamique d'un changement permanent.

Tout progrès, tout changement dépend de la somme des personnes au sein de la société. C'est donc maintenant sur la personne elle-même qu'il nous faut porter nos observations.

5. Le besoin de développement personnel

Examiner les caractéristiques de la démocratie révèle que celle-ci repose sur des conceptions éthiques.

Ainsi est-elle le reflet des exigences que l'individu porte en lui : justice, expression, équilibre.

Il y a un lien direct entre les besoins internes de l'âme et ses aspirations extérieures. Comme si l'âme souhaitait retrouver au dehors ce qu'elle recherche en dedans. Comme si l'organisation politique de la cité reproduisait à grande échelle un modèle qui se trouverait en chaque citoyen. Comme si cette exigence de vertu et de moralité exprimait les conditions requises par l'homme pour pouvoir au mieux réaliser sa destinée.

Mais quels sont donc les besoins de la personne pour réaliser sa destinée, comment se révèlent-ils ?

Pour le savoir, nous pouvons nous pencher sur l'étude originale qu'en a faite un spécialiste, le psychologue Abraham Maslow. L'originalité de ce chercheur a été d'étudier non pas des cas pathologiques, mais des personnes en bonne santé, et souvent des personnalités remarquables, comme Albert Einstein.

Maslow a établi une liste complète des besoins humains que tout un chacun peut vérifier pour soi :

Il identifie des besoins physiologiques corporels, puis des besoins de sécurité.

Des besoins d'intégration affective et sociale, qui sont satisfaits dans la famille, la vie sexuelle, l'amitié, l'appartenance à des clubs, ou des groupes, religieux, sportifs, professionnels …

Des besoins d'estime personnelle, de se sentir accepté, valorisé, respecté.

Et au bout du compte, des besoins de développement personnel.

Ceux-là sont des besoins qui engendrent une motivation durable.

Ils comprennent le besoin d'étendre ses connaissances, de mieux comprendre le monde.

Les besoins d'appréciation des arts, de la beauté de la nature.

Et finalement, le besoin d'accomplissement personnel, celui de réaliser tout le potentiel dont la personne est capable.

Les caractéristiques du développement personnel

Selon les études de cette psychologie du potentiel humain, les gens qui parviennent à se réaliser présentent tous les mêmes traits.

Ils ont une conscience développée, qui accepte les réalités du monde sans les fuir; ils voient les choses objectivement; ils savent évaluer exactement les personnes et les évènements, ils discernent le manque d'honnêteté.

Ils savent accepter les autres et s'accepter eux-mêmes simplement, sans se faire d'illusions sur leurs défauts ou leurs qualités.

Ils se préoccupent sans complaisance de voir ce qui est correct en eux ou autour d'eux.

Ils sont naturellement spontanés.

Par ailleurs, ils expriment typiquement un humour délicat et bon enfant.

Leur motivation provient de leur désir de croissance et de réalisation. Pour accomplir cet objectif, ils s'attachent à résoudre des problèmes qui sont extérieurs à eux. Dépassant les préoccupations égocentriques, ils se consacrent à des tâches éthiques, et veillent à ce que les moyens de les accomplir demeurent éthiques.

Ils sont assez autonomes pour savoir se détacher des tracas et apprécier la solitude. Cette émancipation leur permet de trouver en eux la source de leur action et de leurs décisions, sans être dépendants de leur milieu culturel. Leur code moral est indépendant de l'autorité externe.

Ils savent apprécier profondément les plaisirs les plus simples de l'existence.

Mais ils connaissent également des moments d'extase mystique, des moments d'intense émotion qui transcende l'ego et met en communion avec un milieu spirituel illimité.

Leur sentiment d'intégration s'applique aussi à leurs frères humains pour lesquels ils ressentent une profonde compassion.

L'atténuation des exigences de l'ego leur permet de profondes relations avec leur cercle d'intimes, et en même temps beaucoup d'amabilité pour tous.

Leur attitude est profondément démocratique. Ils sont ouverts à tous, prêts à apprécier ce que chacun peut apporter.

Enfin, ils sont naturellement inventifs, imaginatifs et créatifs. Tout cela est trop beau pour être nié, d'autant plus que chacun se reconnaît un peu dans ce tableau.

Laissons Maslow lui-même ajouter les touches finales. L'expérience de réalisation de soi est :

« Un épisode ou un jaillissement dans lequel les capacités de la personne se rassemblent d'une manière particulière et profondément agréable, dans lequel elle est plus intégrée, moins partagée, plus ouverte à l'expérience, plus idiosyncrasique, plus parfaitement expressive, ou spontanée, ou pleinement fonctionnelle, plus créative, plus amusante, plus libérée de l'ego, moins dépendante des besoins primaires etc. Dans ces épisodes, la personne devient plus authentiquement elle-même, elle réalise plus parfaitement ses potentialités, elle est plus proche du cœur de son être, elle est plus pleinement humaine. Ce sont là non seulement ses moments les plus heureux et les plus saisissants, mais aussi ses moments de maturité, d'individuation, de réalisation les plus grandes – en un mot, ses moments de plus parfaite santé.

Les gens qui se réalisent et qui ont atteint un haut niveau de maturité, de santé et d'accomplissement personnel ont tellement à nous apprendre qu'on les prendrait parfois pour une variété différente d'êtres humains. »

Développement personnel et démocratie

Un point intéressant à développer consiste à étudier dans quelle mesure l'institution démocratique répond aux besoins des individus les plus évolués, et donc naturellement aux besoins de tous les autres.

En recherchant l'adéquation entre le besoin de démocratie véritable et le besoin de développement personnel tel que décrit ci-dessus, on observe :

La démocratie est un exercice de vertu permanent. Toujours à conquérir ou à maintenir.

De même le développement personnel. L'un est en

externe ce que l'autre comprend en interne. C'est une projection des mêmes valeurs.

L'un et l'autre reposent sur l'exigence d'intégrité, de rectitude, de sincérité. La démocratie est un fonctionnement ouvert, l'acceptation des opinions diverses, l'exigence d'équité. De même la réalisation personnelle est compréhension, tolérance en même temps que perception aigue des zones d'ombre chez quelqu'un ou dans un projet.

Il est à remarquer que dans la description caractéristique de la personne accomplie, on lui attribue une attitude profondément démocratique.

La démocratie est liée à l'idée de liberté, de libre expression, comme le développement personnel est lié à l'autonomie, à l'indépendance, à la libération.

Dans le respect des opinions différentes des siennes, dans la conscience de n'avoir que partiellement raison, dans la discipline des partis, dans les échecs individuels inévitables, dans l'action pour résoudre des problèmes qui sont ceux d'autrui, la démocratie implique une transcendance de l'ego, transcendance qui est un des traits de la réalisation de soi.

Dépasser le rejet et l'hostilité, la méfiance envers l'autre, c'est encore un signe de dépassement de l'ego.

Enfin, de même que Maslow indique que la réalisation de soi (de son potentiel humain) coïncide avec le bien-être le plus profond, de même la démocratie prétend tendre au bien-être généralisé.

S'il y a une telle concordance, on peut inférer l'idée que la démocratie serait la condition requise pour le meilleur développement humain individuel.

Son apparition serait suscitée par le besoin de développement, mais aussi elle favoriserait le développement personnel du plus grand nombre. En créant les conditions favorables, elle impulserait l'évolution des personnes et de l'ensemble de la société en même temps.

Correspondance interne-externe

Il faut donc voir maintenant comment ce besoin de développement personnel est à l'œuvre dans la société même.

En examinant les groupes à l'œuvre, on trouve sans surprise qu'ils conjuguent l'effort sur soi pour évoluer positivement avec l'action externe pour faciliter le progrès de l'humanité.

C'est une tendance universelle, comme chez l'homme de Maslow, leur motivation provient de leur désir de croissance et de réalisation. Pour accomplir cet objectif, ils s'attachent à résoudre des problèmes qui sont extérieurs à eux. La croissance personnelle et l'action bénéfique envers autrui sont une seule et même action indissociable.

Cela se retrouve dans les innombrables organisations, qu'elles soient d'inspiration religieuse comme l'Armée du Salut, les Ordres, ou d'inspiration humaniste, comme la Croix Rouge et le Croissant Rouge, les multiples ONG de solidarité comme Oxfam et Amnistie International, et même les clubs bourgeois d'action sociale (Rotary, Kiwanis …) ou encore les hautes sphères de la culture universitaire comme l'Institut Esalen en Californie, etc.

Sans oublier les associations de quartier ou les clubs sportifs, le développement humain implique toutes les personnes humaines.

L'un des meilleurs exemples à observer en est la Franc-maçonnerie. Une confrérie dont la particularité remarquable est la fraternité, un lien interpersonnel solide. Son action déclarée est de travailler au progrès de l'humanité. Ses recherches philosophiques ou ses actions concrètes visent à améliorer la société pour la rendre plus juste, plus respectueuse des droits des personnes, des valeurs fondamentales. Et d'autre part, de travailler privément à devenir une meilleure personne, plus consciente, plus complète, qui poursuit sa croissance personnelle pour réaliser au mieux son potentiel humain.

Ce besoin est vivant dans chaque personne. On ne peut que penser au conseil du poète :

> « To your own self, be true. »
> (Ne trahis pas ta propre nature.)

Conclusion

La personne humaine est une créature imparfaite qui erre et recherche son chemin. Elle n'est sortie qu'aux deux tiers de sa coquille, ou bien disons qu'elle est encore bien bloquée dans sa chrysalide. Cette coquille, ce cocon mental invisible autour d'elle, c'est son autocentrisme animal naturel.

Le vrai développement humain est bien différent de la croissance économique et technologique. Il comprend l'acquisition de biens matériels sécurisants, l'acquisition de savoirs, mais il implique aussi dans son dernier stade une maturation spirituelle. C'est la sortie de la chrysalide, le progrès vers la libération mentale. C'est le chemin qui passe par la démocratie, le nœud central de la société, le point où se dépassent le rejet et l'hostilité.

Passons maintenant au vestiaire, mettons les chaussures, la chemise et la veste de personnes hautement accomplies, mettons surtout leurs lunettes et nous pourrons voir comment pourrait être transformée une société habitée par de telles personnes.

6. Ouvrir et délivrer

L'état de bonne santé d'une société peut se mesurer à l'existence en heureuse cohésion de ses membres. De nombreuses personnes ne parviennent cependant pas à s'insérer dans une existence heureuse, ce qui peut signifier un degré d'imperfection dans la société elle-même autant que chez les individus.

Le meilleur exemple de ces points douloureux est donné par le régime des infractions et des punitions que la justice distribue pour y répondre.

Universellement les transgressions graves sont réprimées par des peines de prison.

La prison est conçue pour punir les coupables et protéger la société.

On suppose que l'emprisonnement conduit à réformer les coupables. Il aurait un rôle de réhabilitation et de socialisation. Il enseignerait la pratique d'une bonne conduite morale, de vivre en accord avec les principes de la société. Payer sa dette conduit à retrouver une condition personnelle acceptable.

Mais c'est précisément l'inverse qui se produit.

La brutalité de l'emprisonnement ne concourt pas du tout à resocialiser les coupables. Les mauvais traitements, les privations, la solitude, les viols, l'absence de vie privée ne peuvent que briser les individus.

La prison aliène l'autonomie indispensable à la personne humaine : c'est comme mutiler les prisonniers, en supprimant une partie de leur existence.

La perception d'être détesté pour ses méfaits, le sentiment de subir un rejet profond, parfois disproportionné par rapport aux fautes commises, la conscience de subir une exclusion délibérée, de devenir un déchet, de perdre sa dignité, sa confiance en soi, son autonomie fondamentale, la rupture des liens familiaux, conviviaux, sociaux, la perte de toute estime environnante, la marque indélébile de l'échec personnel, le naufrage dans la désespérance, tels sont les sentiments, reconnus ou enfouis, qui minent les détenus.

Si l'emprisonnement n'est pas directement tuer, il reste que l'évasion hors de ces conditions inhumaines et dégradantes prend souvent la voie du suicide.

Ce vécu douloureux ne concourt pas du tout à réformer, à rendre meilleur, il conduit à l'inverse d'une rédemption.

Les observations faites par les personnes qui oeuvrent dans ce milieu montrent qu'au lieu de réformer, la prison fabrique des délinquants, comme une école du mal faire. Elle entraîne à la révolte contre la société.

Faute d'offrir d'autres voies de formation et de réinsertion, elle ne prévient pas la récidive, qui peut aller jusqu'à 50% et plus, pour certaines catégories de pensionnaires.

Mais de qui s'agit-il ?

La quasi-totalité des détenus sont issus des milieux les plus défavorisés. Alors que les grands criminels représentent moins de 5% des prisonniers, les autres sont de petits ou moyens délinquants issus des couches sociales déshéritées.

La prison apparaît donc comme un instrument qui, aux mains des classes favorisées, exerce une répression visant à protéger les avantages acquis, à consacrer les inégalités sociales.

L'exercice de la justice témoigne d'une guerre des classes larvée, muette, qui ne dit pas son nom. Cependant on voit à quel point elle fauche large : plus de 30% des prisonniers sont des prévenus présumés innocents, non encore jugés (et jusqu'à 50% dans certains pays.)

Le cœur du problème

Punition dissuasive ? C'est un échec.

Punition douloureuse ? C'est une vengeance inutile et stérile. Il est ridicule que la société exerce une vengeance envers de simples individus.

Si une société refuse d'amender ses délinquants cela signifie également que la majorité des individus de cette société refusent de s'amender eux-mêmes. Cela signifie aussi la continuation des problèmes, l'échec d'une progression vers une société meilleure.

C'est refuser de prendre en charge les condamnés. Refuser de reconnaître la complexité des conditions qui entraînent à la criminalité. Refuser de reconnaître que ce n'est pas seulement les coupables qui doivent payer, mais aussi que ce sont les citoyens modèles qui doivent payer pour réhabiliter ceux qui sont des leurs. Et ce faisant, ils s'amélioreraient eux-mêmes. Conserver le régime carcéral, c'est vouloir gommer les condamnés, les effacer du paysage. Nier leur existence, refuser de leur accorder un autre traitement que la suppression. Telle est la politique en vigueur, et le silence entendu des médias exprime l'opinion des classes de citoyens modèles.

Mais les citoyens modèles ignorent que tant qu'il existe des délinquants, c'est eux-mêmes qui ne sont pas à la hauteur. C'est l'ensemble de ce que nous sommes qui fabrique les délinquants. Un ensemble de conditions extrêmement étendu, dans lequel chacun à quelque chose à voir.

En réalité, la prison est aussi un miroir qui révèle les défauts de la société, qui laisse apparaître le sous-développement moral et spirituel qui est le nôtre. Il est bien évident qu'une société évoluée, celle que l'on pourrait percevoir en empruntant des lunettes à l'homme réalisé, se donnerait les moyens de prendre en charge les délinquants, non pas pour les enfoncer, mais pour les éduquer et les réformer. Si on ne donne pas l'éducation à ceux qui ne l'ont pas, c'est que nous ne la possédons pas encore suffisamment nous-mêmes.

Que sera devenu le paysage demain, à la suite de quelques siècles, ou décennies, d'évolution spirituelle ?

La réponse est simple : il s'agit de prendre en charge et d'éduquer les délinquants tant qu'il y en aura. C'est en examinant la situation présente que l'on peut définir les orientations qui seront celles de demain, car celles-ci sont déjà mises en train.

Le profil des détenus est multiple : il y a de grands et de moins grands criminels dans des domaines divers, des délinquants sexuels, des toxicomanes, des personnes souffrant de troubles du comportement et relevant de traitements médicaux, des jeunes etc. …

Il est donc évident que la prise en charge doit être diversifiée et adaptée aux différentes catégories. Mais le lien essentiel de cette nouvelle responsabilité du corps social envers les fautifs doit être de les tenir le plus possible en dehors de tout enfermement, qui est précisément la méthode dégradante et sous développée tant pour le prisonnier que pour la justice. On l'a dit, l'enfermement n'amende pas l'individu, et ne diminue pas la criminalité.

En premier lieu, tenir en dehors des prisons les prévenus présumés innocents. Les méthodes de contrôle électronique ou de liberté surveillée devraient suffire à cette fin.

En deuxième lieu, maintenir la prison pour les criminels dangereux qui ne sont pas amendables ni récupérables pour la société. Et cela ne signifie pas faire de leur existence un martyre.

Il y a des pays qui se considèrent civilisés et développés, alors que leurs pratiques envers certains détenus sont des plus barbares. Les traitements barbares sont un crime. (1)

On peut toujours mettre en relation les goulags, les camps de concentration de toutes sortes d'une part, et d'autre part ceux qui les organisent. Les camps sont l'image de ce que valent ceux qui les organisent. Les prisons aussi.

Si la clientèle est aussi diverse, il faut naturellement une prise en charge adaptée à chaque catégorie. La politique générale est de maintenir le plus possible de détenus hors les murs tout en leur faisant suivre un cursus éducatif.

L'emprisonnement devrait être limité au petit pourcentage de cas extrêmes, mais la peine devrait pour tous les autres cas demeurer une privation de liberté, c'est-à-dire une détention en milieu approprié à l'air libre.

Les détenus demeurent sous surveillance constante, cela devrait être réalisable grâce aux moyens électroniques.

Placer tous les détenus en milieu ouvert nécessite des conditions d'hébergement particulières.

On peut concevoir des foyers sous contrôle d'éducateurs, des prisons du soir, des placements chez l'habitant, des placements dans la famille selon la situation pénale.

Les moyens d'éduquer, de réhabiliter les condamnés sont divers et devraient tous être rendus disponibles. On imagine que la durée moyenne des peines est trop brève pour obtenir de bons résultats d'amendement, mais si les moyens sont utilisés conjointement, ils seront plus efficaces.

Dans les conditions difficiles actuelles, tous les condamnés ne profitent pas des occasions de s'amender. Il pourrait en être autrement dans des conditions d'accueil favorables, s'ils perçoivent que la société a quelque chose à offrir à leur intention. Mais de toute façon, la sentence consiste à suivre un cursus de réforme, et sur ce point, ils n'ont pas le choix.

Au cas où ils se montreraient incapables de profiter des occasions d'amendement et ne sauraient s'intégrer dans un programme où ils n'ont d'autre choix que de bien faire, alors cet autre choix négatif les renvoie dans des conditions de détention plus sévères, dans les murs, d'où ils pourront toujours revenir s'ils changent d'avis. Ils prennent là une décision personnelle concernant leur propre évolution.

De telles conditions de détention placent donc en permanence les condamnés dans une situation de responsabilité envers eux-mêmes, c'est un principe d'éducation. Dans tout leur parcours, ils participeront aux décisions qui les concernent et seront les acteurs de leur destin.

Le sport est un excellent moyen d'éducation.

Pour les jeunes, on peut concevoir des établissements spécialisés ou des camps de sport éducatif, avec un régime très discipliné, couplé avec l'enseignement scolaire, le suivi psychologique et autres activités telles que les travaux d'intérêt général.

L'enseignement scolaire.

Il peut comprendre l'enseignement scolaire de première nécessité, mais aussi l'enseignement avancé conduisant à des acquisitions qualifiantes. Les centres d'hébergement pourraient comporter des quartiers scolaires semblables à des lycées, ou même des annexes universitaires.

Mais il n'est sans doute pas souhaitable que ces enseignements se fassent dans les milieux éducatifs ordinaires. Les détenus suivent plutôt des cursus d'adultes, ils sont d'âge et de niveau différents par rapport aux clientèles scolaires ordinaires.

La formation professionnelle, atout de réinsertion, peut se faire également dans des quartiers spécialisés ou à l'extérieur dans les entreprises, ce qui ouvre un éventail d'apprentissages beaucoup plus large.

Les activités culturelles ne sont pas un simple passe-temps, mais sont un outil d'éducation et d'ouverture de l'esprit qui contribue au développement complet de la personne.

Dans ce domaine, comme dans le domaine de l'enseignement, les associations bénévoles peuvent apporter un concours précieux de compétence et un allègement budgétaire. Le bénévolat est un bon exemple de la relation que nous exposons entre les coupables et la société : la relation qui montre qu'en donnant ce qu'on leur doit à ceux qui en ont besoin, les bénévoles se développent eux-mêmes personnellement.

Le suivi psychologique est la trame essentielle de tout le cursus. L'activité où l'individu participe le plus consciemment à sa réhabilitation en reconnaissant ses erreurs, en assumant sa responsabilité.

Il est généralement recommandé que le suivi soit fait en partenariat pluridisciplinaire engageant les principaux intervenants.

Pour les longues peines, les spécialistes recommandent un travail psychologique de groupe et pas seulement pour les délinquants sexuels.

Le traitement psychologique est aussi évidemment la meilleure approche pour les toxicomanes. Des études montrent qu'en remplaçant l'incarcération par un traitement pour les toxicomanes non violents, la récidive baisse considérablement et on obtient d'importantes économies budgétaires.

Les pratiques ou consultations religieuses peuvent

aussi apporter une aide déterminante à l'amendement des détenus.

Le suivi social prépare la réinsertion, qui peut aboutit à la suggestion d'emplois dans les organismes publics.

Le travail constitue une autre pierre angulaire d'un programme avancé.

Il n'y a aucune raison que ce soit un travail payé au rabais, ou encore un emploi d'occupation sans valeur. L'emploi du détenu dans un travail qui a du sens et dont l'utilisation a du sens implique la personne directement dans un premier degré de réinsertion positive et éducative.

Le travail peut être trouvé en extérieur dans des entreprises qui le demandent, ou sinon dans des organismes publics, ou des ateliers pénitentiaires.

Le fruit du travail n'est pas à la disposition du condamné, mais à la disposition de la société. Le travail paie la garde, la pension et les frais du détenu, il contribue au fonds d'indemnisation des victimes, il contribue aux cotisations de retraite du travailleur et à sa constitution du pécule de libération.

Ces outils de reconstruction personnelle n'empêchent pas les aménagements qui permettent le maintien de liens familiaux, la libération conditionnelle, ou la personnalisation qui verrait par exemple le placement des délinquants routiers dans des services de rééducation des accidentés de la route, ou encore le maintien d'un suivi psychologique après la sortie.

La plupart des mesures de réforme des condamnés ont déjà commencé à être créées, des milliers de personnes sont déjà suivies en milieu ouvert, de nombreux bénévoles sont à l'œuvre. Là où elles sont appliquées, les mesures nouvelles connaissent un remarquable succès. Tout indique que nous commençons à prendre nos responsabilités et que nous commençons à évoluer dans le bon sens nous-mêmes.

7. Plus qu'un grain de folie

Créature spirituellement sous-développée, l'homme se lance parfois dans des entreprises et des pratiques qui se révèlent au bout du compte catastrophiques. Un des exemples les plus notoires de ce travers est l'utilisation de l'énergie atomique.

Nombreux sont les grands scientifiques qui ont mis en garde contre l'utilisation massive de cette forme d'énergie.

Dans *The Turning Point,* (le Temps du changement) Fritjof Capra écrivait :

« Les risques pour la santé de l'énergie nucléaire … s'étendent sur une échelle extrêmement vaste, aussi bien dans l'espace que dans le temps. Les centrales nucléaires et les installations militaires rejettent des substances radioactives qui contaminent l'environnement et affectent tous les organismes vivants y compris les humains. Les effets ne sont pas immédiats, mais progressifs, ils s'accumulent pour atteindre des niveaux de plus en plus dangereux. » (1)

Danger pour la santé

L'industrie nucléaire, civile et militaire continue de déverser des effluents radioactifs dans l'environnement, dans l'air et dans l'eau. Il n'y a pas seulement la contamination occasionnelle des personnels employés.

Des cancers apparaissent au bout de longues années (au-delà de 10 ans), et des malformations génétiques peuvent apparaître dans les générations futures. C'est notre environnement qui se détériore peu à peu à long terme, lentement mais sûrement, et de manière parfaitement invisible et indolore, au point qu'on peut le nier fermement, mais il faut quand même par la suite accepter un milieu de vie, et une santé dénaturés.

À chaque étape de son utilisation, depuis l'extraction minière, l'enrichissement, la fabrication du combustible, l'entretien des réacteurs, le traitement des déchets, leur transport, leur stockage et le démantèlement des centrales, il y a rejet de particules radioactives et risque de contamination ou contamination effective.

Des accidents non négligeables, se produisent régulièrement. Si nous ignorons la fréquence ou la gravité des faits, nous sommes excusés. De même si nous ne savons pas quelles seront les séquelles.

Nous sommes informés que les émissions se situent habituellement dans des normes acceptables. Mais ces normes sont purement théoriques. Contrairement à ce que l'on nous dit, il n'y a pas de niveau de radiation sans danger. Il n'a pas été possible de déterminer un seuil au-dessous duquel les radiations sont inoffensives.

Des niveaux de radiation infimes sont susceptibles d'entraîner des maladies et des mutations. (1)

C'est aussi ce que tendent à montrer les études anglaises et allemandes qui révèlent une incidence de leucémies infantiles plus nombreuses à proximité des installations nucléaires. (2)

Nous sommes certes exposés tous les jours à des émissions de fond naturelles de faible intensité. Nous n'y pouvons rien, mais nous pourrions toutefois ne pas en rajouter.

Dénaturation de l'environnement

Les plus beaux pays se couvrent de centrales qui poussent comme des pustules sur un visage.

La dénaturation de l'environnement est ambiguë car elle est à la fois une réalité en certains endroits, et un risque théorique pas encore pleinement accompli dans d'autres lieux.

Un accident majeur est toujours possible. Le propre d'un accident est de se produire malgré tout ce qui a été prévu. (3)

Une catastrophe nucléaire détruit les bases existentielles d'un pays tout entier et de millions de citoyens. (Prof. Edmund Lengfelder, Munich)

Rappelons que l'accident de Tchernobyl a contaminé près de 160 000 km2 et que les conséquences humaines et économiques sont si tragiques qu'on les cache sous un épais tapis de silence, ou d'oubli. La communication d'informations incomplètes et arrangées permettent d'effacer la tache. (4)

Comment concevoir qu'une telle catastrophe n'ait été suivie d'aucune enquête épidémiologique de longue portée, alors qu'elle aurait offert un (morbide) terrain d'étude sur les effets à long terme de l'accident ? (5)

La dénaturation de l'environnement à long terme peut aussi provenir de l'accumulation de déchets ingérables. Toute activité humaine naturelle engendre des déchets, mais ils sont naturellement recyclables. Ceux-là ne le sont pas.

On ne sait toujours pas comment stocker ces déchets définitivement et de façon sûre. Il n` y a nulle part au monde un stockage adéquat des déchets hautement radioactifs.

Un réacteur produit plus de 20 tonnes de combustible épuisé par an, on en stocke déjà des centaines de milliers tonnes. C'est un produit hautement radioactif qui demeure toxique pendant des dizaines de milliers d'années. (4)

Comment contrôler et neutraliser les radiations ou les infiltrations pendant aussi longtemps ?

La seule présence des déchets de haute toxicité n'est pas simplement un « risque » « une potentialité qui serait éventuellement malheureuse ». Leur seule existence, leur réalité, est déjà en elle-même une catastrophe majeure.

Les déchets hautement radioactifs restent nocifs plus de 100 000 ans. Le Plutonium, qui est le plus toxique d'entre eux, demeure dangereux pendant 500 000 ans. Un microgramme, c'est-à-dire un millionième de gramme est une dose invisible mais potentiellement mortelle. (Nous en fabriquons des tonnes chaque année, elles circulent sur nos routes et voies ferrées. Un seul réacteur produit plus de 20 kilos de plutonium par an.) (6)

Une petite dose contamine pour une durée d'ères géologiques.

Si elle passe dans le milieu ambiant, cette petite dose ne disparaît plus, elle se transmet dans la chaîne alimentaire, dans l'atmosphère, mais ne disparaît pas. Pendant 500 000 ans, elle demeure délétère. Pendant tout ce temps-là elle doit rester isolée du milieu de vie.

Cela fait un peu plus de cent fois l'âge des Pyramides. Plus de deux fois l'existence de l'homo sapiens le plus primitif. Peut-être une occasion de réaliser que nous avançons imprudemment sur un terrain maudit que nous devrions nous interdire. Les autorités prétendent que ‘nous savons’ gérer les déchets. Il n’en est rien. Aucune technologie concevable ne peut protéger sur des périodes dépassant toute expérience.

Nous avons omis le principe de précaution. Nous avons omis d’attendre que le nucléaire soit sûr avant de nous le permettre.

C’est l’héritage que nous avons décidé de laisser à des milliers de générations futures. C’est l’héritage qui permet un peu de définir où nous en sommes sur le plan moral, c’est-à-dire sur le plan de l’éveil de toutes nos capacités mentales. Si nos enfants ne subissent pas de mutation ou d’évolution régressive vers l’imbécillité, ils nous en voudront probablement.

Un danger de prolifération

L’exportation et l’expansion de la technologie nucléaire augmentent considérablement le risque de prolifération des armes nucléaires. Le nucléaire civil ouvre la voie à l’utilisation militaire.

Une quarantaine de pays déclarent s’intéresser au développement nucléaire, ce qui induit un énorme risque à la fois de prolifération militaire et d’utilisation terroriste.

Cette folle aventure humaine menace donc l’humanité beaucoup plus dangereusement que par la seule dégradation lente du milieu de vie.

Pas d'effet sur le changement climatique

L'industrie du nucléaire admet que le charbon, le pétrole et le gaz ne pourront jamais être remplacés par les centrales nucléaires. Si l'on voulait remplacer 10 pour cent à peine des énergies fossiles par l'énergie nucléaire d'ici 2050, il nous faudrait construire plus de 1000 centrales nucléaires (il en existe actuellement 440 au monde).

Or, en admettant que cela soit possible, la construction de ces installations prendrait des décennies. Les réserves d'uranium s'épuiseraient alors très rapidement.

L'énergie nucléaire ne peut rien contre le réchauffement climatique : elle ne concerne qu'un infime pourcentage de l'énergie consommée, et si on la développait davantage pour sauver le climat, elle arriverait trop tard, en créant des problèmes tout aussi graves que ceux qu'elle voudrait éliminer.

L'avenir dans les énergies renouvelables

Une étude de Greenpeace (7) prouve qu'il est possible de maintenir la croissance économique sans avoir recours au nucléaire en utilisant seulement les énergies renouvelables à notre disposition, et notre savoir-faire en matière d'efficacité énergétique. Il est possible de créer six fois plus d'énergie que la demande actuelle, et indéfiniment, puisqu'elle est renouvelable.

Doubler en 20 ans les installations nucléaires actuelles ne produirait qu'une réduction de 5% des gaz à effet de serre, et pour un coût absolument faramineux. (Ce dernier point ne nous dérange pas, parce que nous sommes habitués à être serrés aux entournures sans qu'on nous explique d'où ça vient, donc pour nous les coûts faramineux ne comptent pas, question d'habitude.)

Les sources d'énergies renouvelables pourront à elles seules répondre à l'ensemble des besoins énergétiques de l'Allemagne d'ici 2050. Or, ce qui est possible en Allemagne, pays s'étendant sur une petite surface, avec une forte densité de population et dont le niveau de vie est élevé, est possible partout.

Les industriels de l'énergie admettent eux-mêmes que d'ici 2050 il sera possible de produire à partir de sources renouvelables une quantité d'énergie plus grande que celle actuellement consommée. Les besoins énergétiques de la planète peuvent être satisfaits par une combinaison de

différentes sources d'énergies renouvelables : installations de chaleur et d'énergie solaires, éoliennes, centrales hydrauliques et énergie de la biomasse. Pour limiter l'augmentation des besoins énergétiques de la planète, il faut également veiller à engager des mesures d'efficacité énergétique.

Les éoliennes sont de gracieuses demoiselles qui tendent les bras pour accueillir leur Don Quichotte. Animées par la magie du vent, elles sont une image de vie fascinante, tout comme le mouvement des vagues ou les sauts des flammes dans un foyer.

(Des procès ont été engagés contre le bruit que font les éoliennes, mais jusqu'à présent personne n'a déposé de recours contre le bruit que font les vagues.) Les éoliennes s'intègrent bien dans le paysage parce qu'elles l'animent, à l'inverse des balafres qu'infligent les pylônes et les lignes à haute tension. (8)

Le nucléaire est une absurdité économique

Emploi :

Il faut à l'énergie nucléaire beaucoup de capitaux, alors que les énergies renouvelables ont besoin de nombreux travailleurs. L'exemple de l'Allemagne est clair: en 2002, l'industrie du nucléaire faisait travailler environ 30 000 personnes. Le secteur de l'énergie éolienne employait alors à lui seul plus de 53 000 personnes. L'ensemble du secteur des énergies renouvelables assurait 120 000 emplois et ce, alors qu'elles ne contribuent encore que faiblement à la production d'énergie dans le pays. En développant les énergies renouvelables on crée de nouveaux emplois chaque jour. Le développement des énergies renouvelables pourrait permettre la création à l'échelle mondiale, de millions d'emplois en quelques années seulement.

Coûts :

Pendant de longues périodes, on n'a pas construit de nouveaux réacteurs dans les pays à marché ouvert, parce qu'ils n'étaient pas rentables financièrement. Dans les périodes où on remet le nucléaire à la mode, l'absurdité économique demeure. Il est impossible de chiffrer à l'avance le coût d'un nouveau projet, ceux qui voient le jour prennent rapidement des années de retard sur le calendrier, et des milliards de dépassement de budget, comme cela a toujours été la règle.

Ils ne trouvent pas de financement autre que les fonds publics, ou des emprunts garantis par l'état. Ils ne trouvent pas d'assurance contre l'accident de fusion du cœur et pas de solution au problème des déchets.

Si on prend en compte le coût total de l'énergie nucléaire – études préliminaires, extraction du minerai, construction et entretien des centrales, retraitement du combustible, coût sanitaire éventuel des accidents, gestion des déchets dans un avenir illimité – on ne peut prétendre fournir de l'électricité bon marché, ni même compétitive, sauf peut-être dans les pays où l'état est maître des comptes et peut puiser sans retenue dans les poches des contribuables.

Les autorités sont obligées de prévoir la gestion (sociale, médicale, technique, juridique) d'un accident nucléaire majeur.

Par ailleurs, les risques d'un accident majeur ne sont pas assurables par les fonds privés, puisqu'ils pourraient se chiffrer en dizaines de milliards ou plus. Les compensations sont donc la responsabilité des états, et sont soumises à une limite par des conventions. La responsabilité légale et financière envers le traitement des déchets à long terme revient lui aussi à l'état, c'est-à-dire au contribuable. Souhaitons-lui bon courage, et bonne chance.

Très curieuse situation, une singularité ?

Quiconque examine à tête reposée le dossier nucléaire peut se demander pourquoi cette technologie n'est pas mise de côté.

Elle est toujours présentée comme une solution acceptable, malgré les éléments qui devraient la faire bannir.

Effectivement, dans de nombreux pays au monde, elle est tolérée par la population, parfois approuvée et recherchée.

Nous savons cependant que nous sommes dans une civilisation où il est possible de fabriquer le consentement. De fait, on peut constater que dans les pays où l'information est diffusée librement, c'est-à-dire sans être une propagande orientée et subtile, la population peut exprimer un rejet salutaire et massif qui engage le gouvernement à prévoir un terme à l'utilisation de l'énergie atomique.

C'est le contraire qui se produit dans les pays fortement engagés dans la voie nucléaire. L'opinion populaire est chloroformée, et de façon inexplicable, en faisant fi de tout principe de précaution, on fonce toujours plus avant dans cette voie qui s'est déjà montrée fatale, qui ne peut cesser d'être potentiellement létale.

On envisage un avenir encore plus dépendant du nucléaire. On prévoit plusieurs générations de réacteurs. On cherche aussi à transformer le nucléaire en énergie miracle, à l'image de la fission solaire, bénéfique et éternelle. C'est le projet Iter, qui malheureusement reste tout aussi dangereux et potentiellement polluant. (4)

Mais pourquoi cette fascination, la fascination du papillon pour la flamme de la bougie qui finira par le brûler? Pourquoi vouloir se refaire un soleil dans l'arrière-cour, alors que nous en avons un vrai là-haut?

D'où provient cette singularité?

La réponse, bien évidente pour beaucoup d'entre nous, est très précisément ciblée par F. Capra:

« Pourquoi la technologie nucléaire bénéficie-t-elle toujours d'aussi solides soutiens? La raison profonde en est l'obsession de la puissance. Parmi toutes les sources d'énergie disponibles, l'énergie nucléaire est celle qui conduit à la plus forte concentration de pouvoir politique et économique entre les mains d'une élite restreinte. Sa technologie complexe exige des institutions hautement centralisées et ses aspects militaires font qu'elle se prête à un secret excessif et à un emploi étendu du pouvoir policier. Les divers protagonistes de l'économie nucléaire […] tirent tous profit d'une source d'énergie rassemblant des investissements massifs et hautement centralisée. » (1)

Il est donc à la portée de tout un chacun de comprendre que la ruée vers le nucléaire ne peut pas être stoppée. La soif de puissance n'a pas de fin, et non plus pas de limite. Tout comme la soif de profit dans les affaires, la soif de puissance en politique ne peut pas s'arrêter d'elle-même avant qu'elle n'ait entraîné sa propre destruction. L'histoire de l'humanité montre que l'ivresse du pouvoir chez les dirigeants a toujours conduit les peuples aux catastrophes les plus lamentables. Les dernières guerres mondiales en sont des exemples récents. Rien ne peut stopper des dirigeants intoxiqués, et certainement pas les désirs ni les douleurs de leurs peuples. Avec eux, ou après eux, le déluge, d'eau, de feu, ou de radiations.

Dans tout organisme, entreprise, ou état, il y a un besoin de maintenir la bonne organisation contre les forces d'opposition ou de dispersion. C'est le jeu de la démocratie de maintenir un équilibre dynamique entre les forces de cohésion et les forces d'expression et de renouvellement diversifiées.

À partir du moment où les forces de cohésion l'emportent sans contre-pouvoir, elles maîtrisent totalement tout l'ensemble de l'organisme. Tous les faisceaux de vie politique convergent vers le sommet, mais dorénavant, ils appartiennent à la tête dirigeante qui peut s'en servir pour soutenir principalement ses propres vues et ses intérêts propres.

Lorsque tous les faisceaux convergent entre les mains d'un dirigeant ou d'une élite restreinte, la structure étatique perd le caractère démocratique, on l'appelle structure de type fasciste, c'est-à-dire en faisceaux maîtrisés.

Dès lors, il n'est pas surprenant de voir apparaître des choix irrationnels ou douteux, du moment qu'ils servent les ambitions de l'élite. L'usage du nucléaire militaire, qui est intimement relié à l'usage civil, explique d'autant plus cette intoxication par une volonté de puissance absolue.

En matière nucléaire, les décisions seront donc prises sur des considérations politiques et économiques alors qu'elles doivent l'être sur des critères plus élevés, de nature morale. C'est dire que les décideurs n'ont pas de compétence à prendre seuls ces décisions.

Le propre des experts, c'est de se tromper sur les questions vastes et à long terme. Parce que leur champ de vision est spécialisé et limité. Seule une participation démocratique aux décisions peut apporter le contrepoids nécessaire, mettre en lumière les aspects éthiques et spirituels plus subtils.

C'est toute l'organisation de la civilisation mondiale qui est en cause. La question nucléaire révèle un biais généralisé chez les États. Aujourd'hui comme hier, l'intoxication et la passion du pouvoir conduisent les Etats sur des chemins dangereux au détriment des populations. Sous couvert de servir les populations, on lance des programmes qui servent prioritairement les ambitions et les intérêts des dirigeants.

Il faudrait guider les États à cesser ce type d'exploitation des masses humaines qui vise à créer de la puissance étatique. Cela implique une gestion non intensive de l'économie, c'est-à-dire l'abandon du principe de croissance illimitée et permanente. Cela implique l'abandon des politiques de puissance et de confrontation entre les nations. Cela implique de passer à une planète de primates humains qui soient plus sages, plus réfléchis, plus évolués spirituellement.

Faute de quoi nous resterons encore en présence de pollution radioactive dans la nature. Une telle toxicité correspond à la toxicité du fascisme, ou totalitarisme feutré dans une société.

Celui-ci peut être invisible et imperceptible tout en étant extrêmement délétère. Ce qui concourt à détruire la vie est proprement diabolique. C'est une réalité maléfique, directement l'opposé d'une réalité spirituelle, qui est tout aussi invisible.

Besoin de démocratie, besoin de développement personnel, besoin de spiritualité

Il est donc évident que la démocratie est une nécessité permanente. Sa vocation est de maintenir un sain équilibre entre les besoins des populations et ceux de l'État. La démocratie seule peut garantir que l'État reste au service de la société, au lieu de mettre la société au service de l'État.

La démocratie n'est pas une institution établie. Elle est un ensemble virtuel de conditions. Au sein des principes reconnus, elle doit se créer et se maintenir ou se perdre et se pervertir selon la manière dont on la pratique. C'est un exercice de vertu. Elle n'est jamais instituée pour toujours, elle n'est jamais atteinte en permanence, elle est toujours à réaliser, toujours à défendre, selon les actes plus ou moins droits des dirigeants politiques.

La démocratie est plus qu'une façon de concevoir la politique, c'est une nécessité spirituelle.

L'évolution spirituelle de l'homme demande à le rendre

autonome et indépendant, dans sa pensée, ses valeurs, ses actions, tout en restant intégré dans un cadre d'interdépendance générale. Cela n'est possible qu'en démocratie, et cela crée la démocratie.

Il y a peu, 630 000 personnes signaient une pétition contre l'énergie nucléaire. (9) Nous sommes à une époque où c'est par millions que les gens manifestent et signent des pétitions pour s'exprimer sur des problèmes mondiaux.

Cela est une évolution mondiale vers l'exigence de conditions permettant un développement personnel harmonieux. Il faudra beaucoup de temps, mais à force de secouer l'arbre, les fruits tomberont.

Quelque chose nous manque si nous savons faire des installations aussi compliquées que des centrales nucléaires, alors que nous n'avons pas la vision globale disant qu'il vaudrait mieux ne pas utiliser une telle technologie.

Le développement intellectuel qui fabrique les centrales tient compte seulement de réalités physiques et de besoins de circonstance. Le développement spirituel tient compte d'une vision qui englobe tout le destin de l'homme, individuel et général, ainsi que la conception de sa place dans le cosmos. Cela tient compte de ce qui n'est pas visible ni conceptualisable, mais que l'on peut cependant sentir, ou percevoir. C'est au-delà des mots. Ce n'est inscrit dans aucun livre, mais c'est inscrit dans l'homme.

Ce qu'est l'esprit, la conscience de la spiritualité, ce n'est pas l'intelligence, ni le savoir, ni l'émotion. Cela ne s'explique pas, mais se vit. C'est ce qu'il y a dans l'intuition, dans un sourire, dans un air de musique, dans un paysage qui nous parle, c'est l'ineffable. C'est l'attachement au bon, au juste et au beau.

Cela ne s'atteint pas par un doux délire, bien au contraire, car cela n'est accessible que par la purification de la négativité, de la toxicité, qui est la nôtre.

Nous ne possédons que des bribes de spiritualité, que nous perdons souvent de vue. Il nous appartient de développer cette graine de lumière, de laisser croître en nous ce qui doit venir achever notre nature véritable.

8. Les mégapoles

Nous vivons un développement morbide

L'alarme est donnée sur l'avenir de notre civilisation.

L'ensemble des dangers qui nous guettent semble se concentrer sur notre croissance qui se veut illimitée, insatiable comme tous les désirs, mais qui est en même temps destructrice de notre milieu de vie. Croissance économique liée à la croissance démographique comme le pair à l'impair, ces phénomènes aveugles mettent en danger notre avenir.

La pression démographique et la consommation exaltée épuisent les ressources : bois, poissons, minéraux, énergies fossiles, atmosphère, etc. Elles contribuent à la dégradation du milieu de vie, notamment la dégradation du climat, les pollutions, la disparition de nombreuses espèces animales.

Le changement climatique à lui seul défigure notre milieu : il fait fondre le calottes polaires, peut élever le niveau des mers, créer des sécheresses des ouragans, des inondations. On sait que certaines de nos mégapoles seraient directement menacées par la montée du niveau des océans (Bombay, Lagos, Le Caire, New York, Shanghai ...)

Nous risquons de ne plus nous trouver très bien dans le milieu qui nous a vu naître et qui nous a élevés.

Il est déjà arrivé que des civilisations disparaissent parce que l'excès de population ne permettait plus à leur environnement de les entretenir. Ce fut sans doute le cas des Mayas et d'Angkor. Mais le désastre que nous fabriquons avec méthode et aveuglement depuis plusieurs siècles s'accélère et atteint maintenant des proportions planétaires.

C'est le cœur même de notre civilisation qui révèle que notre développement est morbide. Il se manifeste par l'apparition de mégapoles monstres, malsaines et polluées.

L'urbanisation massive et insalubre a été l'un des maux caractéristiques de la civilisation moderne. La tendance ne cesse de s'accentuer. La moitié de l'humanité vit à présent dans les villes, et d'ici vingt ans, ce sera les trois quarts de l'humanité qui s'amasseront dans les mégapoles monstres.

Notre civilisation est caractérisée par ce développement destructeur qui d'une part épuise les ressources et qui d'autre part suscite l'apparition de masses misérables parce que ce développement est essentiellement déséquilibré. Il tend constamment à prendre plus d'un côté en privant plus de l'autre.

Il est fondamentalement générateur d'inégalité. Cette inégalité est la cause de l'explosion démographique qui est en grande partie une réaction de protection et de survie chez les peuples ou les classes qui sont mis à l'écart.

Actuellement, selon les données de l'ONU, les bidonvilles comptent plus d'un milliard d'humains, population qui va doubler en 20 ans.

C'est la dépendance économique qui attire les gens vers les cités, ils espèrent pouvoir y trouver plus facilement de quoi survivre. C'est donc le système économique qui provoque l'urbanisation massive et façonne le visage de notre terre.

Le milieu urbain concentré

Les grandes villes sont un milieu artificiel qui altère inexorablement la qualité de vie. Le milieu devient bruyant, sale, agité, congestionné. Nombreuses sont les études montrant qu'il est nocif pour la santé :

L'une d'elles signale que la pollution urbaine provoque 24 000 décès prématurés chaque année en Grande Bretagne.

Les enfants qui vivent à moins de 500 mètres d'une autoroute subissent des lésions pulmonaires permanentes, leur vie est abrégée, sans doute à cause de la pollution des gaz de voitures.

La mortalité pour cause cardiaque est trois fois plus élevée au centre de Londres que dans une ville moyenne d'Écosse. (1)

Seules sont épargnées les villes dans lesquelles aucune étude n'a été effectuée.

Le milieu de vie est aussi nocif au plan psychique. La criminalité y est élevée, les gens doivent souvent compenser leur mal de vivre par un usage important d'alcool, de drogue, de médicaments sédatifs, de soins psychologiques.

À cause de ces abus, le milieu devient trop excité, trop chaud, il apparaît une culture urbaine de violence et de criminalité.

En ne cessant de croître, la population subit nécessairement une dégradation morale, à cause de la tension qui croît au même rythme. Cette dégradation morale génère les conflits, qu'il s'agisse aussi bien de criminalité locale que d'affrontements politiques, ethniques ou internationaux.

On sait que les bidonvilles ne peuvent que favoriser la violence urbaine et même le terrorisme.

Comment ce milieu artificiel qu'il se crée affecte-t-il l'homme ? Quelles en sont les conséquences sur la personne ?

Une nouvelle créature ?

Par son énorme masse, la société moderne engendre l'anxiété. Un surnombre de gens qui luttent pour survivre engendre inéluctablement toujours plus de tensions et de compétition. L'anxiété naît de ces tensions permanentes.

Il est donc inévitable que l'homme soit à la longue transformé mentalement par son milieu. À moins de prétendre que nous soyons vraiment faits pour exister dans la cavalcade et le tourbillon incessants qui sont les traits de la vie citadine moderne.

On peut s'attendre qu'à force de vivre dans le charivari omniprésent, la créature humaine subisse des transformations pour s'y adapter. En observant finement, peut-être allons-nous découvrir que nous cessons d'être *Homo Sapiens.*

Pour décrire la nouvelle créature qui apparaît, on a proposé le terme *Homo Multitudinis*, l'homme des foules, mais il faudrait sans doute préférer *Homo Turbidus*, qui reflète mieux la réalité.

Le dictionnaire nous indique que **turba**, c'est le trouble causé par un grand nombre de personnes, le tumulte, le désordre, la confusion, l'agitation, la perturbation, le bruit, le tapage, le vacarme, les querelles, la foule en désordre, la troupe.

C'est donc ce qui décrit le mieux notre milieu ambiant.

L'adjectif correspondant est **turbidus**, qui signifie troublé, agité, confus, égaré, emporté par un sentiment violent, orageux, critique …

Cela s'accorde avec la nouvelle créature qui apparaît pour remplacer *Homo Sapiens*, c'est-à-dire l'homme de la cohue et de l'anxiété à la fois. La cohue est liée à une apparition inexorable de l'anxiété en tout un chacun des membres de la foule. Et la cohue est le caractère fondamental de la vie moderne.

C'est ainsi que cet homme nouveau, *Homo Turbidus*, apparaît dans ses productions culturelles : confus, agressif, agité, anxieux, violent. C'est la créature humaine présente et à venir.

Le but ultime

Le but ultime d'une évolution qui se poursuit depuis des millions d'années est-il que la personne humaine doive finir dans une galerie de métro à trente mètres sous terre et compressée davantage que le bétail pendant son transport ? C'est dans ces moments-là que la personne humaine peut se poser la question.

Les sphères célestes tourbillonnent depuis des millions d'années, et au sein de ce ballet majestueux ponctué de grandioses feux d'artifice qui se répandent sur des milliers d'années-lumière, au sein de tout ce bouillon, il y a une petite bulle qui vibre et mijote.

Oh là, là, la belle petite bulle bleue ! Une splendeur d'équilibre.

Une telle splendeur qu'on pourrait croire qu'il s'agit du centre de l'Univers. Et en plus, qu'il y a quelque part sur cette bulle une étrange manifestation de sensibilité, tellement sensible que ses sensations diverses se démultiplient en subtiles pensées intimes.

Il y a donc forcément adéquation entre la splendeur des sphères célestes, l'harmonie de la petite bulle bleue et les intimes sentiments qui éclosent au sein de l'âme sensible.

Mais qui ? Qui pense ces subtiles pensées personnelles ? Qui ressent ces sentiments ? C'est Nana Turbida qui rentre du boulot à trente mètres sous terre, au fond dans son métro. Auprès d'elle se trouve un, c'est-à-dire des milliers, de spécimens *d'Homo Turbidus*, (Toto Turbido pour les intimes.) Leurs visages ne sont pas empreints d'un bonheur ineffable. Pas de sourire de béatitude accomplie. Mais il y a quand même sur les visages une ferme satisfaction. Visiblement, ici, on est bien. On est dans la sécurité du nombre. On n'est jamais perdu, il suffit de suivre la croupe qui précède. On vit plus pleinement que dans les campagnes désolantes qui font perdre l'impression d'exister. Ici, on sait qui on est, parce qu'on est dans une foule. On sent la présence indispensable pour vivre de milliers de congénères qui dupliquent notre image comme un jeu de miroirs sans fin. Cela rassure. On regarde autour de soi et on sait qui on est.

Cependant, les pensées de Nana sont bien différentes. Il y a un lien entre les pensées de Nana Turbida et les sphères célestes qui tourbillonnent depuis le Big Bang. Le lien, c'est que dans sa petite tête, quand elle fait abstraction de ses voisins qui la compressent, abstraction du bruit lancinant des wagons, abstraction de la fatigue de la journée, abstraction des soucis proches et lointains, abstraction des frustrations présentes et à venir, le lien, c'est qu'elle connaît la présence des sphères célestes, là-haut, bien au-dessus du niveau du sol, bien au-dessus de l'atmosphère encrassée, à quelques milliers d'années-lumière, elle sait que ça existe. Sûr, elle ne peut pas les voir, mais elle les connaît, et elle aime les imaginer, faute de pouvoir les contempler.

C'est ce lien qui pose problème. La danse des sphères célestes entoure Nana Turbida, et Nana Turbida pense aux sphères célestes.

Sans le comprendre pleinement, elle leur en veut. Elle a du malaise, du reproche, du ressentiment. Elle se demande simplement pourquoi le but ultime d'une évolution qui se poursuit depuis des millions d'années est de finir au fond d'une galerie de métro, dans un trou de rat, à trente mètres sous terre et compressée davantage que du bétail pendant son transport ? De qui sommes-nous le bétail ?

Concevoir un développement holistique

La question qui se pose est de savoir pourquoi le progrès que nous fabriquons ne conduit pas vers des conditions de vie de plus en plus harmonieuses et équilibrées.

Nous améliorons notre existence de façon merveilleuse grâce à toutes nos découvertes et inventions, notre science et notre technologie ne cessent depuis des siècles de progresser à tous points de vue, santé, connaissances fondamentales, transports, exploration spatiale, et tous les aspects de la vie. Tous, sauf peut-être certains parmi les plus importants.

Notre manque d'évolution nous fait sous-estimer ce qui est le plus important pour nous: la progression dans la spiritualité. En conséquence, nous nous trouvons fort aise de tout miser sur les croyances qui s'accordent avec notre état mi-développé : nous comptons sur notre savoir, mais il ne permet pas l'évolution complète de la personne, il ne permet pas son évolution spirituelle. Nos scientifiques fabriquent des armes nucléaires, des armes chimiques et biologiques en toute bonne conscience. On rogne sur les salaires et on supprime des emplois en toute bonne conscience. Tout cela est rationnel.

Nous mettons toute notre confiance dans la pensée scientifique, alors qu'elle n'est qu'une méthode partielle. C'est un mode de pensée très utile, mais aussi très circonscrit, qui limite terriblement ce que devrait être la perception mentale humaine. Tout miser sur le savoir scientifique est une auto mutilation mentale, c'est une forme d'œillères ou d'obscurantisme si on ne dépasse pas ses limites. Cela nous plaît, car ça nous permet de demeurer dans un matérialisme confortable, qui n'exige de nous aucun effort de progression.

Le développement partiel que nous réalisons n'élimine

pas nos défauts et nous conduit dans une impasse. Tous les morceaux de notre grande science sont éparpillés comme des confettis et ne peuvent pas nous empêcher d'aller vers des catastrophes.

La raison de cet échec tient à des aspects fondamentaux en nous-mêmes que nous avons mis sur le côté et n'avons pas développé. La science, la culture et leurs savoirs sont inadéquats pour répondre à toutes les aspirations humaines. Elles n'offrent que des réponses partielles, des connaissances strictement limitées et circonscrites.

Ce qui nous manque, c'est une vision globale, la vision que donne la totalité de notre esprit si nous l'utilisons, alors que nous n'en utilisons qu'une partie, la partie rationnelle. Notre esprit peut saisir bien autre chose, des choses qui sont inexplicables de façon rationnelle, mais tout aussi importantes.

Pouvons nous expliquer de façon rationnelle l'intérêt d'un morceau de musique ? Non. Pouvons-nous expliquer rationnellement ce qui nous pousse à faire la charité ? Pouvons-nous expliquer rationnellement ce qui nous fait aimer un paysage, une œuvre d'art ? Ou ce qui nous pousse à dire parfois la vérité ? À avoir du respect ? Ce qui nous charme dans l'humour ? (qui est précisément le cas où le spirituel taquine le rationnel) Ou ce qui nous fait accepter spontanément une intuition ? Ou ce qui nous fait sentir autour de nous la présence d'une intelligence universelle qui dépasse notre rationalité parcellaire ? Pas vraiment. Si on fouille un peu, on voit que tout un domaine de notre psyché est laissé de côté, autant au niveau personnel qu'au niveau public, et si on fouille encore un peu plus, on trouve que ce domaine concerne les valeurs qui nous sont les plus fondamentales, beaucoup plus fondamentales pour notre vie que de connaître la distance de la Terre à la lune ou la formule chimique du bicarbonate.

La pensée holistique

C'est la pensée qui essaie de saisir les choses dans leur ensemble. C'est en utilisant de manière intégrale l'esprit humain que nous trouverons la solution à nos problèmes et la meilleure façon de vivre pour tous. Or nous sommes habitués à n'utiliser notre esprit que partiellement. C'est-à-dire à n'utiliser que le raisonnement logique.

Ce qui est exclu de notre culture, de notre fonctionnement officiel, c'est ce qui est qualifié de subjectif, d'invérifiable, d'irrationnel. Notre esprit est capable de saisir beaucoup plus de choses qu'on ne peut en exprimer dans une explication verbale. En parlant des philosophes, un sage a dit qu'ils sont comme des grenouilles au fond d'un puits : ils voient une partie du ciel seulement, et s'en tiennent à ce qu'ils voient.

Le reste du ciel n'est pourtant pas en contradiction avec la partie que l'on voit. L'intuition et l'imagination ne sont pas rationnelles, et pourtant elles nous rendent de grands services pour recevoir des vérités non évidentes rationnellement. Quand la science parle de la relativité du temps et de l'espace, elle commence à joindre le rationnel avec ce qui paraissait irrationnel. Être n'est pas rationnel, et pourtant, nous acceptons d'être.

Nana Turbida, dans sa rame de métro, se rend compte que sa vie est faite de plusieurs domaines auxquels elle a accès, mais elle regrette aussi que d'autres domaines soient exclus de son expérience. Comme elle, l'homme moderne est coupé de la nature, il ne peut même plus contempler le ciel. Il est privé d'accès à une source essentielle pour répondre à ses besoins, la perception de l'immense énergie qui l'entoure. La perception mystique de la nature qui nous crée, qui nous entoure et qui nous porte.

Un sage a dit que dans la civilisation moderne les humains perdent leur relation à la Terre. Dès lors qu'ils se sentent déconnectés de la terre, ils se trouvent perdus et déboussolés. Ce manque de repères spirituels et émotionnels profonds les pousse à s'accrocher à autre chose en dehors d'eux-mêmes pour affronter leurs problèmes.

Selon le sage, l'appréciation du milieu naturel dans sa simplicité et son aspect le plus ordinaire est la plus haute forme d'appréciation. Elle donne un sens à l'existence. C'est une expérience mystique qui nourrit et donne du sens, même si elle demeure inexprimable, inexplicable, et invérifiable. Il en est ainsi parce que dans cette expérience, nous saisissons un lien entre nous et le monde, nous saisissons holistiquement que notre nature profonde correspond à celle de l'univers qui nous entoure. En fait, nous supposons cela en permanence, mais il y a des moments où nous le sentons mieux.

Quelqu'un raconte que lorsqu'il était jeune, il avait fait une excursion particulière. Il y avait quatre heures de marche en montagne pour parvenir à un lac glaciaire en haute altitude. L'expérience était saisissante, dans le silence et la pureté de l'air, contempler cette « calme flaque de ciel tombée dans un cratère » où se reflétaient les neiges éternelles. On était captivé, on touchait au sens de la vie, on percevait sa profondeur, sans que rien ne soit dit.

Depuis, le site a été « mis en valeur », on a construit une route et un stationnement qui accueille quelques milliers de voitures dans la saison, et cela ne suffisant pas, on a institué un service de navettes pour amener les visiteurs. Des panneaux expliquent la géologie, la faune et la flore.

Les gens se suivent en longues files sur les sentiers. C'est une petite cohue clairsemée qui de déplace. Mais on ne sait plus si les gens y captent encore vraiment un message sans mots.

Nos savoirs logiques ne nous ont pas empêchés de conduire la civilisation dans une impasse, et ils sont aussi impuissants pour nous sortir du pétrin. Ce qui peut nous permettre de faire mieux, c'est donc d'en arriver à une vision plus complète. C'est une vision spirituelle plus avancée, car elle peut nous faire sentir où sont nos défauts et nos erreurs. Elle nous permet de nous améliorer et d'évoluer. Elle nous permet de sentir les choses de façon globale et immédiate. Elle nous fait trouver les solutions spontanément et sans discussion. Appelons cela la voie de la vertu. On pourrait dire aussi le sens de responsabilité le plus achevé.

Quand on mentionne le mot 'vertu,' certains sont saisis d'une terreur apoplectique et s'étranglent. Mais il n'y a pas de quoi en avoir autant peur. La vertu n'est pas une pratique de privation, d'abnégation, d'efforts impossibles, de souffrance imposée. En réalité, dans son sens holistique le plus profond :

La vertu consiste à agir dans le sentiment que nous faisons de notre mieux. Ce sentiment tout simple et universel est l'essence de la vertu. Il peut être le fil directeur de toute l'évolution humaine consciente.

Le penseur J.C. Smuts, a expliqué le concept de holisme en donnant la définition suivante : la tendance qu'a la nature, au moyen d'une évolution créatrice, à créer des ensembles qui sont supérieurs à la somme des parties constituantes.

Ainsi se créent des ensembles d'une complexité croissante aboutissant à des unités nouvelles, formant chaque fois une totalité nouvelle et enrichie.

Si nous appliquions cela à notre développement humain, il faudrait donc tendre vers une conception qui intègre l'ensemble de l'esprit, l'ensemble des aspirations. On aboutirait à une conception qui réunisse le rationnel et le mystique, le collectif et le personnel.

Cela voudrait dire une vue du développement qui mette en correspondance un développement collectif sain et équilibré avec un développement personnel permettant la libre réalisation d'une destinée personnelle sereine. La pleine ouverture de réalisation du potentiel humain.

Cela correspondrait donc à un ensemble nouveau, incluant et dépassant la totalité de ses composants, mais c'est inutile d'en parler, car nous ne l'avons encore jamais vu. Si nous y pensons, c'est qu'il est sans doute déjà en gestation.

Développement holistique urbain

L'humanité s'amasse dans de gigantesques mégapoles et ce n'est pourtant pas ce que souhaitent la plupart des gens. L'exode hors des grandes villes se produirait de lui-même si les gens pouvaient se le permettre.

Ceux qui ont pu s'échapper ne le regrettent pas et ne feraient pas le chemin inverse. Si on peut échapper à une existence qui se résume à aller de cohue en cohue, d'embouteillage en embouteillages, de blocage en blocage, de gêne en gêne, le choix est vite fait. Une petite minorité préfère la grande ville, une écrasante majorité choisirait la petite ville, la banlieue ou la ferme. (2)

Certes, la grande ville reste pour toujours un centre indispensable d'échanges de toutes sortes, de gestion administrative, de services, de création, d'innovation, etc.

Mais on va au-delà du nécessaire en laissant les grandes villes s'étendre de façon incessante et devenir d'immenses tartes comme Paris ou Londres. Tout ce qui est excessif devient contre productif.

«Le critère de la taille se détermine par rapport à la dimension humaine. Ce qui est trop vaste, trop précipité, ou trop populeux par rapport à des dimensions humaines est d'une taille excessive. Lorsque les gens ont affaire à des structures, des organismes, ou des entreprises aux dimensions proprement inhumaines, ils se sentent inévitablement menacés, aliénés, dépouillés de leur individualité, ce qui porte toujours atteinte à leur qualité de vie de façon significative.» (2)

Homo Turbidus conserve encore dans ses gènes la nostalgie d'espaces naturels sains. Voici quelques notes glanées dans un article peut-être discutable, mais qui apporte néanmoins des données intéressantes. (3)

«Une preuve de ce que les humains préfèrent fondamentalement est fournie par les mythes du paradis : même dans les cultures urbaines, le paradis n'est pas urbain. Les utopies actuelles portent sur des villes jardin. Autrement dit, les témoignages culturels qui s'opposent à l'urbanisation abondent partout.

Ce que les écologistes recherchent, ce sont des cités vertes. Des villes écologiquement durables, à faible densité.

Dans la ville idéale, la nature doit être très présente et inclure un élément de spectacle : bétail écossais, daims, castors, prairies où l'on cueille des fleurs, prés où l'on se repose, centres pour visiteurs, itinéraires de canoë, pistes cyclables, y mettent les gens en contact avec la nature.

Les urbanistes proposent essentiellement de diminuer les densités. En fin de compte, la preuve la plus manifeste du retour urbain vers la nature, ce sont les villes qui la donnent : elles deviennent un océan de jardins-et-maisons. Dans les pays développés, les villes s'étendent en suivant principalement ce modèle.

La préservation du centre historique va de pair avec l'extension de constructions de faible densité dans un milieu ressemblant à un parc.

Des zones rurales éloignées s'urbanisent, mais sans construction de forte densité. Elles ne ressemblent pas à une ville, mais à un parc. La ville devient un parc, la ville moderne se reconnaît à ses arbres et à ses pelouses.

L'aspect nouveau de la ville, c'est le jardin : cherchez l'aéroport derrière les arbres. Cherchez l'usine derrière les arbres.

La ville moderne ne peut être qu'une ville fusionnée à la nature. »

Ainsi la tendance naturelle serait que la ville et la campagne fusionnent pour s'harmoniser. Mais cette transformation peut aussi ne jamais se produire car le régime économique libéral, qui concentre la richesse et le pouvoir entre quelques mains, et qui est la cause de l'apparition des mégapoles s'oppose à la dispersion des centres économiques et de l'habitat.

Ce ne serait peut-être que grâce à une économie d'un type nouveau, que l'humanité pourrait se créer un mode d'habitat répondant à ses préférences.

En conclusion

Un développement holistique, c'est celui qui intègre toutes les composantes de l'expérience humaine afin d'élaborer un mode d'existence renouvelé, plus élevé que la somme des parties.

Il concerne les trois niveaux de l'existence : matériel, politique-culturel, et enfin spirituel.

Il s'adresse à toute l'humanité, et non pas à une seule civilisation Il met en accord le parcours de la personne et celui de la société, les besoins des humains et ceux du milieu.

Il répond à une vue d'ensemble qui s'accorde avec la libération de l'individu, le rendant toujours plus autonome et indépendant dans l'interdépendance générale. C'est le développement qui met la personne en mesure de réaliser son plein potentiel. Cela représente une transformation considérable de la société.

Nous vivons dans des conditions qui sont, aussi bien au niveau concret qu'au niveau mental, l'excitation, la fébrilité, l'effervescence, d'une part, et d'autre part l'obstruction, la congestion le blocage …

Et pourtant, il faut savoir que le centre le plus essentiel de la croissance spirituelle réside dans la paix intérieure, dans la tranquillité profonde de l'être.

Sait-on encore ce que peut être une vie en dehors de la cohue ?

Pouvons-nous encore atteindre ce qui est fondamental pour nous ?

9. Les Trois Pouvoirs

Les obstacles à une évolution positive : les Trois Pouvoirs

La prise en charge par l'humanité de ses propres responsabilités concerne en premier lieu la gestion autonome de sa masse démographique. Celle-ci est l'expression externe du déséquilibre humain. Le déséquilibre humain a sa source dans la personne même, dans notre sous-développement spirituel.

Les Trois Pouvoirs qui dominent la société et la gèrent sont les trois obstacles qui gênent l'évolution positive de l'humanité.

Les Trois Pouvoirs se dressent unanimement contre une réduction ou une normalisation démographique.

Ils se dressent contre la recherche de ce que doit être notre niveau démographique optimal, ils imposent leurs vues, pour des raisons qui leur sont propres, au lieu de laisser le choix aux citoyens.

Le pouvoir économique a besoin de masses laborieuses qui constituent à la fois une main d'œuvre abondante et un marché à exploiter.

Les économistes prétendent que la croissance

démographique est nécessaire pour entretenir l'économie. On en est encore à promouvoir la croissance sans fin par la consommation sans fin, mais cela n'est valable que dans le cadre de la débauche matérielle et morale que constitue le régime capitaliste.

L'évolution positive de l'humanité passe par sa libération économique. L'outil que nous possédons pour nous libérer tous, collectivement et personnellement, c'est l'économie solidaire et coopérative. Si nous l'acceptons, nous nous libérerons sinon, nous resterons esclaves.

Le pouvoir politique a besoin de masses taxables. Aucun gouvernement ne veut entendre parler de diminution de population. En fait, les gouvernements s'emploient à maintenir ou faire grandir leur population par tous les moyens : incitations pour relever le taux de natalité, ou immigration. Leur peuple taxable est leur cheptel, l'outil de leur grandeur.

L'évolution positive de l'humanité passe par sa libération politique et culturelle.

L'outil dont nous disposons pour nous libérer de la domination étatique, c'est la démocratie véritable. Si nous la conquérons, nous nous libérerons sinon, nous resterons des marionnettes.

Le pouvoir religieux prêche toujours la multiplication sans limite. Il s'agit d'assurer la pérennité de son message, et de le répandre. Comme il est dit parfois, c'est son moyen de gagner des parts de marché. L'évolution positive de l'humanité passe par sa libération culturelle et religieuse. L'outil que nous possédons pour nous libérer de la domination religieuse, c'est l'ouverture de notre esprit et tout ce que les traditions spirituelles ont déjà défriché en ce domaine.

C'est le trésor des connaissances que les sages nous transmettent. Si nous les acceptons, nous ouvrirons devant nous un avenir lumineux, sinon, nous resterons des membres du troupeau qui avance la tête basse.

Les trois pouvoirs fonctionnent tous sur le mode fasciste : c'est-à-dire en ramenant tout vers eux, en se plaçant au centre des réseaux de domination qu'ils contrôlent, en faisant converger vers eux ces faisceaux. C'est un système qui se justifie dans la mesure où il permet une bonne efficacité. Mais il devient nuisible dès lors qu'il permet de dominer sans partage, à l'encontre du mode démocratique ouvert, et ainsi d'appliquer des politiques qui ne sont pas dans le meilleur intérêt des populations.

Les trois pouvoirs sont évidemment institutionnalisés. Mais nous les acceptons sans problème, nous ne voyons même pas très bien comment ils sont nuisibles. C'est parce qu'ils ont en fait leur équivalent à l'intérieur de la personne humaine, ils sont la projection externe de ce qui est en nous. Ils sont représentatifs de ce que nous sommes, nous les fabriquons. Ils sont l'émanation de nos propres sentiments, respectivement toutes les tendances qui se regroupent en nous sous le chapitre de la cupidité, sous le chapitre du rejet d'autrui, et sous le chapitre de l'ignorance. Lorsque nous aurons suffisamment évolué, les trois pouvoirs n'existeront plus de manière négative.

Se libérer du joug des trois pouvoirs ne signifie pas préparer une révolution universelle. C'est simplement évoluer personnellement jusqu'au jour où la somme des évolutions personnelles les auront transformés. Il ne restera alors des trois pouvoirs que leurs actions utiles et positives.

La dépendance culturelle

Le contenu mental de l'individu dépend profondément de la société où il vit. La société impose des normes sociales qui dirigent nos comportements, nos croyances, et même nos goûts. C'est notre éducation qui détermine les aspects de notre personnalité sociale.

Le bon fonctionnement de la société repose sur l'acceptation des règles de vie commune et de la hiérarchie. Ainsi l'individu se trouve-t-il intégré et la société peut-elle fonctionner avec un minimum de conflits.

Ce faisant, l'individu abandonne son autonomie et suit le courant, il fonctionne à un certain degré comme un automate. Sa pensée devient peu à peu conventionnelle ; il acquiert la tendance à penser comme on le lui suggère. Il est nécessairement un membre de la troupe. Il garde un peu d'autonomie intellectuelle, mais c'est pour se rassurer, se prouver qu'il conserve son indépendance. Mais en fait, il ne s'en sert pas, car il ne peut pas.

Certes, il conserve et aiguise son sens de la critique, de la satire. Il faut savoir que cela n'est qu'une soupape. En critiquant, on se libère de l'anxiété que la dépendance fait naître. Mais après qu'on se soit ainsi soulagé en se débarrassant de l'anxiété, on trouve qu'on a fait sa part, et on devient plus enclin à accepter la dépendance.

Ceux qui sont visés par la critique, par exemple celle des journaux satiriques, savent qu'il vaut mieux l'accepter, ils la tolèrent sans problème, car au bout du compte le droit de critiquer est un outil qui sert à faire accepter la dépendance.

L'augmentation physique de la masse humaine contribue aussi directement à créer de la dépendance. La liberté de penser de façon autonome s'amenuise, la préoccupation même d'un destin personnel peut disparaître.

La multiplication incessante signifie contraintes incessantes qui vont en se multipliant.

La vie se modifie insensiblement. En devenant de moins en moins autonomes, nous devenons semblables aux robots animés que sont les insectes comme les fourmis. Nous subissons une existence gérée par l'ensemble de la communauté. C'est la disparition de l'indépendance face à un destin personnel, c'est le refuge dans la vie collective et passablement anonyme.

Les programmes sociaux sont en particulier un moyen pour l'état de s'insérer de plus en plus dans la vie des gens, d'en faire une classe dépendante. Les programmes sociaux finissent par éroder le sens de responsabilité des individus. On finit par penser que c'est à l'état de prendre en charge notre existence.

La multiplication des réglementations que la croissance démographique entraîne nous conduit à ne plus penser qu'à l'intérieur de ces réglementations. De même qu'elles limitent la liberté d'agir, de même limitent-elles la liberté de penser. Ces contraintes sociales et mentales forment une carapace pour les insectes modernes qui peuplent nos cités. Il se crée ainsi une carapace de contrainte culturelle dans laquelle les humains se transforment peu à peu, et sans le savoir, et sans le vouloir, en insectes sociaux beaucoup plus limités que leur être d'origine ne le permettait au départ.

On peut considérer que c'est un progrès, une amélioration de la civilité et de l'urbanité. Pourtant, si l'homme se transforme en une sorte d'insecte dans une fourmilière omniprésente, c'est une dégénérescence, au moins dans l'idée que la personne se fait d'elle-même. Si elle devient une créature-insecte, c'est qu'elle a dans la tête qu'elle ne vaut pas mieux qu'un insecte. Dans la société insecte, il n'est plus besoin de penser. Les choses vont de soi. L'individu accomplit sa tâche sans réfléchir. On pense pour lui.

Carapace d'indifférence ?

C'est la fixation des individus sur leurs préoccupations personnelles, aux dépens d'une vue d'ensemble, qui entraîne la multiplication des humains à un degré qui pourrait ne plus rester tolérable. Or, la multitude est fort bien tolérée. D'abord parce que même si le nombre apporte la tension et l'anxiété, il figure aussi une sécurité rassurante. Les gens se pressent, se bousculent, s'amassent, s'agglutinent sans que cela les dérange trop car leurs voisins anonymes dans la foule ne comptent pour rien. Ils ne sont qu'un fond de décor. La seule réalité qui compte pour l'individu est sa préoccupation personnelle. Il se fraie un chemin dans la foule sans que celle-ci ne le dérange, seul compte ce qu'il a à faire. C'est l'individualisme aveugle qui crée une prolifération illimitée, mais ce même individualisme centré sur soi permet aussi de la supporter.

Tout comme l'insecte est doté d'une carapace, le citoyen urbain ne s'équipe-t-il pas d'une carapace d'indifférence ou d'égocentrisme?

Vu de loin, nous donnons bien l'aspect d'une fourmilière, nos voitures défilent en lignes compactes comme des files de fourmis, nos immeubles se dressent comme des termitières. Mais les fourmis fonctionnent dans l'équilibre, sans gêne et sans tension. Elles ne forment jamais d'embouteillages !

Conflit entre l'état et la personne

En adoptant le mode de vie des insectes nous évitons de nous trouver en conflit avec l'état. Par contre le conflit peut surgir dès là où l'on se rend compte que la croissance démographique est le fruit d'une politique de puissance.

Laissés à eux-mêmes, les humains trouveraient naturellement l'équilibre de leur population, c'est ce qu'ils ont fait jusqu'à la révolution industrielle.

La situation change à partir du moment où s'accroît la domination des trois pouvoirs. Ceux-ci s'entendent comme trois larrons en foire dans le même but : créer une politique de puissance, sous la direction du pouvoir politique, c'est-à-dire de l'état. Une politique de puissance exige une forte croissance démographique, c'est sur ce point que les trois pouvoirs sont intimement associés.

L'état est une réalité supérieure toute puissante, qui est l'émanation de la collectivité. Cette entité collective est créée par l'ensemble des forces sociales, elle rassemble et dépasse tous les individus, toutes les volontés individuelles.

Grâce à leur pouvoir supérieur, les états peuvent déclencher des guerres cataclysmiques, envoyer des gens au goulag, et bien d'autres choses encore.

C'est pourquoi il est essentiel que les états demeurent l'expression de la collectivité mais au service de la collectivité. Ce n'est pas vraiment le cas.

En poursuivant une politique de puissance, les états se placent en fait au service de quelques personnes plutôt qu'au service de la collectivité. Cela n'est pas apparent, mais la poursuite d'une politique de puissance au niveau des états est l'équivalent du culte de l'ego chez l'individu, c'est le produit de l'égocentrisme borné.

Bien sûr, l'état doit veiller au grain, surveiller les intérêts fondamentaux du pays, se préparer à toutes les éventualités, assurer la politique de défense, bien sûr. Mais le désir de puissance et de domination est nuisible quand il dépasse le juste accomplissement de ces devoirs.

L'état est la source d'une folle intoxication chez les détenteurs du pouvoir. Ils feront toujours tout pour s'y accrocher et pour le développer. C'est la course à la puissance, la folie des grandeurs chez les dirigeants politiques derrière lesquels se trouvent aussi les deux autres pouvoirs complices.

Ce détournement du rôle de l'état suscite évidemment une opposition, un conflit interne au pays. Dans un régime démocratique, les partis politiques alternent au pouvoir et peuvent contrecarrer quelque peu les tendances fascisantes.

Mais dans la partie de l'état qui est permanente, celle qui se trouve derrière les rideaux de la scène, on s'occupe plutôt de gérer ce conflit : on sait taire les objectifs réels, ils ne sont jamais exprimés ; on sait distiller goutte à goutte la propagande, on sait faire appel à la fierté nationale, on sait fabriquer le consentement, on sait utiliser les médias, on sait faire de la politique.

Nous sommes au point où peut naître un conflit entre la conscience des personnes et les ambitions étatiques. La personne un tant soit peu éclairée perçoit les dangers de la politique de puissance.

Elle ressent un profond malaise devant les principes de l'économie néo libérale, devant le développement du nucléaire, devant le gonflement démographique, devant les risques d'affrontements internationaux …

C'est une évolution d'autant plus déplaisante qu'elle paraît hors de tout contrôle pour la personne ordinaire.

Homo Turbidus, l'homme moderne, l'homme de la cohue et de l'anxiété n'est pas seulement perturbé par le grouillamini qui l'entoure. Il est aussi perturbé de manière plus subtile par ce conflit entre sa conscience et l'état.

Doit-il accepter la soumission aveugle aux orientations de la puissance publique ? Doit-il accepter une politique de puissance qu'il sait néfaste ?

La soumission aveugle est aliénante pour l'individu. Il aimerait bien sentir que l'évolution de la société se fasse dans le sens qu'il souhaite.

Conflit, parce qu'il se sent poussé dans une direction qu'il réprouve. Mais aussi parce que la politique étatique forme un obstacle qui le gêne pour développer son potentiel spirituel. La réalisation du potentiel spirituel humain conduit à un état de satisfaction profonde, et c'est précisément ce dont est privé *Homo Turbidus.*

C'est ici que se trouve le problème crucial du gonflement démographique permanent : il constitue un obstacle à l'évolution positive de la personne et de la société.

La vie dans la termitière est un milieu défavorable au développement spirituel.

Dans la vie agitée des grandes villes, l'énergie se disperse, le mental se disperse. Il devient difficile de suivre une évolution efficace. Cela doit se faire dans une vie active, certes, mais aussi calme et tranquille.

Les conditions de vie dans les mégapoles ont tendance à maintenir l'existence au niveau le plus superficiel. L'individu y est constamment préoccupé à faire face aux besoins de l'existence, il est mentalement intégré à un système culturel rigide, il passe le plus clair de son temps en activités inutiles, comme dans le transport et les encombrements.

L'ensemble de ses conditions de vie l'enferme dans une attitude négative envers le monde spirituel. Non seulement perd-il tous les moyens d'entrer en contact avec la sphère spirituelle, mais sa vie l'enferme dans une attitude hostile ou désabusée, même inconsciemment.

On ne peut plus concevoir que le divin ait créé un monde aussi encombré, contraignant et superficiel.

On ignore la présence du domaine spirituel parce que tout notre monde la nie ou la renie. Les conditions de notre existence ne permettent plus de la reconnaître quand on se trouve dans un milieu matérialiste et étroitement rationaliste, on ne peut plus capter d'autres influences.

Ainsi nous concentrons-nous encore plus profondément sur des préoccupations uniquement individuelles, et superficielles, celles précisément qui sont à l'origine des malheurs du monde.

Une réaction salutaire

Un sursaut remarquable est en train de se produire au sein de l'humanité. L'excès de fécondité est en train de se corriger de lui-même : Le taux moyen d'enfants par femme est tombé au-dessous du seuil de remplacement dans quatre-vingt dix pays au monde. (1) On s'attend que dans quelques générations, le taux baissent aussi en Asie et en Amérique du Sud, grâce à l'amélioration de la qualité de vie.

Nous sommes donc les témoins d'une réaction spontanée de l'intelligence collective humaine qui réagit silencieusement à nos besoins. Une réaction dont dépendait sinon la survie, du moins l'évolution positive de l'humanité.

Évidemment, cela entraîne une vive inquiétude chez les Trois Pouvoirs qui se sentent menacés. On parle d'implosion démographique, de déclin de la civilisation.

On ne voit pas que le danger pour la qualité de vie de l'espèce venait de son expansion irréfléchie, et absolument pas d'une diminution. Certains démographes se lamentent sur les pays qui vont être « rayés de la carte ! » Si vous déposez un de ces démographes au bord de la mer et qu'il assiste au retrait de la marée, il va se lamenter et se désoler en croyant que l'océan est en train de se vider à tout jamais.

Parmi les réactions négatives à la stabilisation de la population, on présente les problèmes du manque de main d'œuvre jeune et du financement de la couverture sociale, notamment des retraites. Pourtant, puisque la baisse de natalité avec vieillissement de la population est un mouvement spontané naturel, la société doit pouvoir y faire face naturellement. Laissons travailler à temps partiel (et avec de solides incitations fiscales) ceux qui le souhaitent au-delà de l'âge de la retraite, et le problème sera résolu. La correction du problème est d'avance assumée.

Dans certains pays, le fonctionnement authentiquement démocratique permet à la population de décroître ou bien d'augmenter, si telle est sa tendance et son intérêt spontanément compris et décidé.

D'autres états réagissent avec une vigoureuse politique de la famille. Cela consiste à accorder de généreuses aides aux familles pour les encourager à procréer. Il y a derrière cette mesure l'ambition de développer la population de la nation, et donc c'est essentiellement une mesure qui répond aux ambitions des dirigeants, c'est-à-dire à une politique de puissance.

Si la population reste modeste, les dirigeants demeurent des personnages peu importants. Par contre, une population nombreuse permet aux dirigeants de devenir de très grands personnages. Ils auront à leur disposition d'abondantes ressources pour réaliser leurs grandes ambitions et maintenir un statut de grand prestige.

Par conséquent, sous le couvert de générosité, on fait de

la population un instrument au service de ses chefs, que cela soit conforme à son intérêt ou non. Les citoyens sont élevés en rangs serrés pour répondre aux ambitions de puissance de l'état.

Cela apparaît inévitablement comme une action de caractère fascisant, qui fait passer la passion d'une poignée de personnes au-dessus des choix qui appartiennent à l'ensemble. Bien sur, ces décideurs maintiendront qu'ils agissent pour le bien du pays, mais ce n'est pas unc décision démocratique, c'est une décision « d'experts » qui remplace le choix populaire.

Hélas, la réalité a pour coutume de contredire les prévisions technocratiques, et au bout du compte, les pays appliquant une vigoureuse politique de la famille se trouvent en présence de grandes poches de population sans grand avenir, puisque cette croissance dépasse largement l'accroissement que l'économie peut absorber. On trouve de vastes zones de quartiers et de régions ou le taux de chômage se fixe entre 20 et 30%. (2)

Quelle grande réalisation pour ces grands dirigeants ! Ceux qui devaient être la source de recettes importantes deviennent une charge incontournable qui draine les ressources du pays. On multipliera les prélèvements pour y faire face, mais on ne changera pas de politique, car seul compte finalement le plaisir paroxystique que donne la contemplation de statistiques montrant de combien de millions de gens les dirigeants disposent pour se sentir puissants et nimbés de gloriole.

On ne tiendra pas compte non plus du nombre d'existences ainsi projetées sur un parcours décevant et sans espoir.

Dans ces pays possédés par une ambition de grande

grandeur, le développement est planifié dans les moindres détails. Les municipalités sont invitées à participer à des projets d'avenir qui prévoient tous les aspects de la densification urbaine. Les élus sont ainsi invités à partager les ambitions nationales, à apporter leur consentement. On chiffre même des « objectifs » de population à atteindre.

Quant aux citoyens, ils sont invités à participer à une concertation, mais surtout pour être informés de tout ce qui a déjà été décidé par avance. Ainsi toutes les villes doublent, triplent leur population et leurs milieux urbains modestes où vivre était un charme deviennent le site d'une ruée congestionnée et harassante au quotidien.

L'ensemble du pays connaît donc le même « développement. » L'objectif peut être de doubler la population en cent ans, et cela s'effectue très bien sous une férule administrative toute puissante, capable de mettre tous les moyens en œuvre efficacement. Cela se produit même sans que la population ne le sache vraiment. Elle se trouve mise devant le fait accompli.

Sans doute les gens se rendent-ils amèrement compte que la qualité de vie a diminué d'autant, mais ils ne disposent d'aucun moyen qui permette de l'exprimer.

Il ne leur est pas possible non plus de dire pourquoi, après des décennies de labeur en période de paix, le nombre de personnes vivant dans la précarité et la pauvreté n'est pas éliminé, mais est au contraire s'aggrave. On ne voit pas les liens entre les politiques et leurs résultats. Et rien ne pourra changer tant que le destin des populations ne sera pas réellement entre les mains des populations.

Comment se détermine un développement sain ?

Il se détermine dans la spontanéité. Contrairement à celui que nous avons connu jusqu'à maintenant, qui provenait de conditions socio-économiques brutales, et qui nous a conduit à l'échec. Mais c'est dans la spontanéité que nous nous en sortons. Par la réaction salutaire de l'intelligence humaine qui régularise maintenant l'expansion humaine.

Une fois que son équilibre a été rompu, l'humanité réagit comme un système, en recherchant son nouvel équilibre. L'humanité réagit comme un grand organisme qui est en train de se guérir et de se transformer.

La première observation : c'est l'amélioration des conditions économiques qui corrige les excès démographiques. Ce qui est bon pour la personne rejoint les intérêts de la société.

Le développement doit se manifester par le bien-être matériel, et non pas par l'enflure de la population. Une augmentation de population, n'est pas un progrès si elle ne se fait pas dans le bien-être.

Ce qui grandit alors, c'est aussi la misère. Un développement qui vise à apporter le bien-être matériel en s'interdisant de faire augmenter la population tant que le bien-être n'est pas généralisé, est un développement intelligent. Le but est alors la qualité de vie *avant* tout autre chose. C'est le premier degré du développement sain.

La deuxième observation : c'est l'accès à l'éducation qui corrige les excès démographiques. L'effroyable gaspillage humain que constituent les excès de naissances purement biologiques est dû au déficit d'éducation.

Absence d'éducation sexuelle et contraceptive, mariages précoces, pressions culturelles, déni d'éducation académique pour les filles. Une telle configuration ne peut se perpétuer dès lors que le niveau de vie s'élève. Un développement intelligent se fonde sur l'éducation.

Un développement intelligent apporte la démocratie. L'évolution marche vers la libération et la responsabilisation de l'individu. L'éducation libère le droit d'expression, la liberté de pensée. L'éducation ouvre la voie à la démocratie. Il n'y a pas de démocratie possible sans éducation avancée. C'est le deuxième degré du développement.

La troisième observation: c'est l'apparition de valeurs nouvelles.

Les valeurs anciennes sont celles avec lesquelles on fabrique la croissance destructrice, la politique de puissance, l'asservissement religieux.

Ce sont des valeurs d'isolement, de réduction, de dispersion, de domination envers la personne.

Le siècle dernier a vu apparaître des valeurs nouvelles qui sont des valeurs de recentrement, c'est-à-dire de compréhension centrale, d'autonomie et de libération. Elles sont d'abord apparues comme une contre-culture dans la jeunesse, mais elles sont en passe de devenir la culture principale. Il s'agit des mouvements écologiques, humanitaires, féministes, artistiques, créateurs, antinucléaires, altermondialistes, solidaires ... autant de manifestations diverses qui cependant portent une compréhension nouvelle unifiée en profondeur.

Le point directeur de ce regroupement, au sommet de la pyramide, c'est une nouvelle perception de valeur spirituelle.

Les valeurs nouvelles révoquent les valeurs fascistes des trois pouvoirs. Évoluer vers la maturité, l'autonomie, la responsabilité, c'est la même chose que d'évoluer vers une vue d'ensemble.

C'est le troisième degré du développement sain.

Un sage a dit : Il se peut que le monde retrouve son équilibre lorsqu'il y aura suffisamment de gens qui pensent en termes universels, et non pas selon leurs propres critères personnels.

L'évolution naturelle des peuples

Devons-nous attendre les épidémies et les guerres de destruction massive pour un retour à l'équilibre ? Celles-ci viendront certainement si nous maintenons le cap avec des principes négatifs et destructeurs.

La population doit pouvoir se réguler d'elle-même, selon ses propres critères, même s'ils ne sont pas exprimés formellement.

Personne ne peut savoir ce que sera la population future. Elle pourra être variable, elle ne peut se prévoir à l'avance, il appartient à l'humanité de le décider spontanément et sans concertation, en dehors de l'intervention des pouvoirs.

Les moyens de communication modernes transmettent et multiplient les progrès qui apparaissent en l'homme même, et qui constituent le développement véritable c'est-à-dire son développement spirituel. Ils extériorisent de manière visible la communication invisible qui nous guide déjà. Le progrès véritable pénétrera l'inertie des habitudes séculaires et des masses non informées.

La vie est un art

L'expression de la vie sur la terre doit répondre à un art de vivre. Les fourmis ne savent pas apprécier cet art. La nature entière est un art. La planète entière est un art. Chaque forme de vie est un art. Chaque forme naturelle inerte également.

Il est donc naturel que l'expérience de la vie chez les humains soit aussi une réalisation comparable à l'expression artistique. C'est-à-dire une création en toute liberté, qui vise une réalisation profonde, qui soit habitée par le souci du mieux réussi.

C'est du reste ce qu'ont fait toutes les peuplades humaines, tant que leur propre poids ne les a pas privé de cette chance. C'est ce qu'expriment la beauté et l'originalité de toutes les cultures dans leurs divers milieux aux quatre coins de la terre.

Cela est-il encore possible dans nos cités entassées, congestionnées, bruyantes, stressantes et crasseuses ?

10. Religion et évolution

Le rôle de la religion dans la société

La religion est une grande institution sociale qui joue un rôle indispensable.

Elle apporte à la personne une conception de l'existence, un sens de la destinée dont nous avons besoin, puisque notre intelligence demande à comprendre.

Elle orchestre aussi les grands moments de l'existence : naissance, mariage, décès, fêtes annuelles et autres.

Elle est une grande institution morale qui se confond avec la culture de chaque pays, qui a façonné son histoire, ses croyances, son paysage mental, et même son paysage concret : ses trésors architecturaux : Pagodes, pyramides, cathédrales, temples, mosquées.

Elle a aussi pour fonction de répondre aux besoins de soutien psychologique, d'aider à affronter les difficultés de la vie.

Depuis la nuit des temps, ses préceptes contribuent au maintien de la morale publique. Elle conforte la cohésion sociale.

Les religions sont un obstacle qui gêne l'évolution humaine naturelle

Cependant, les religions se sont montrées coupables des pires abus envers les personnes :

Intolérance, inquisition, bûchers de sorcières et d'hérétiques, exécutions, conversions forcées, persécutions, ont émaillé l'histoire aux quatre coins de la planète.

Les religions sont des facteurs de guerre :

Tout au cours de l'histoire, sans aucune interruption, et jusqu'à nos jours, les religions ont été la source de conflits armés. Croisades, guerres de religion, combats fratricides souvent entre fidèles du même Dieu ! Nous sommes tentés de ne pas le croire, mais pourtant c'est vrai. Il suffit de se souvenir des massacres entre catholiques et protestants, entre sunnites et chiites, entre hindouistes et musulmans, etc., etc.

Dieu est toujours des deux côtés, car il est au-delà des contradictions et des oppositions. Alors, comment pourrait-il envoyer ses fidèles d'un côté massacrer ceux de l'autre côté ?

Nous touchons ici au défaut fatal des religions : leurs enseignements sont des constructions humaines, porteuses des erreurs, et des limitations, propres à l'esprit mental humain.

D'énormes conflits se préparent à cause des traditions religieuses. Les plus graves guerres à venir proviendront de cette dégradation morale qu'apportent les religions par leur intolérance, leur limitation mentale.

Le pouvoir religieux exerce un asservissement.

Les religions prescrivent, commandent, dirigent, souvent de manière contraignante et déresponsabilisante.

Les contraintes morales qu'elles imposent annihilent les droits et responsabilités des personnes dans la sphère privée : par exemple, la condamnation de la contraception.

Si elles savaient se restreindre à une activité purement spirituelle, elles se contenteraient de conseiller au lieu de diriger. C'est un défaut propre aux organisations humaines de vouloir étendre leur contrôle pour se renforcer.

Cet asservissement culmine dans le fanatisme. Dans le plus pur délire, on massacre au nom de Dieu. L'asservissement religieux trouve là le point le plus sombre de son action qui conduit à la dégradation de la personne humaine. Elle fait de l'homme un pantin irresponsable.

Un sage a dit : « l'objectif qui serait le plus utile pour l'humanité serait de devenir adulte et responsable, sans qu'elle soit obligée de trouver sa voie et sa sécurité dans un contrôle externe. »

Les religions proposent des enseignements dépassés

Une personne ayant reçu l'éducation standard de notre siècle ne peut manquer de trouver des incohérences et des positions inacceptables dans les enseignements des religions. C'est que cet enseignement est un édifice conceptuel rigide qui n'évolue pas et perd beaucoup de crédibilité à mesure que le reste des savoirs humains progresse.

Prenons pour exemple la question de la population, qui est la source de puissance du pouvoir religieux, comme pour les deux autres pouvoirs.

La divinité a révélé aux hommes qu'ils doivent être fertiles, se multiplier, couvrir la surface de la terre. Un esprit moderne peut penser sans problème que les messages sur lesquels sont fondées les religions sont effectivement des révélations divines.

Pourquoi pas ? Ne mettons donc pas en question les paroles révélées, mais voyons comment les religions tirent de cette idée un enseignement totalement erroné, à savoir qu'il s'agit d'un commandement de proliférer au-delà de toute limitation. Cette interprétation incorrecte entraîne des conséquences désastreuses.

Chacun peut constater que la multiplication humaine illimitée entraîne la dégradation de l'existence de chacun et de tous ces humains. Elle est à l'origine de la pauvreté et de conditions de vie abolissant la dignité naturelle de la personne.

Est-il dans les plans du bon Dieu d'ordonner la dégradation des existences ? Ou bien s'agit-il d'enseignements déviants ?

On voit les masses d'enfants squelettiques et dénutris que ces principes religieux font naître. Ils ne naissent que pour souffrir et mourir lamentablement. N'est-ce pas le signe que le bon Dieu n'approuve pas ces enseignements, et n'aime pas qu'on décide à sa place ?

Par ailleurs, prêcher la multiplication afin de propager une bonne nouvelle, une foi, un message, cela ressemble beaucoup à un acte de guerre, à un acte d'agression, à une forme de guerre visant à créer une extension, ou une invasion conquérante envers d'autres populations. Cela peut conduire à des conflits.

La prolifération illimitée est aussi le terreau du fondamentalisme, de l'intégrisme. Elle fait apparaître des millions de gens qui naissent sans avenir matériel, qui naissent pour la religion, et qui n'auront jamais que la religion pour donner un sens à leur existence. Ils se tourneront naturellement vers la révolte en constatant que leur vie ne peut déboucher sur rien d'autre que le dénuement, et qu'ils ne pourront jamais atteindre aux conditions d'une vie naturellement satisfaisante.

Ironie: Les religions prêchent la multiplication pour étendre leur influence.

Or, c'est tout le contraire qui se produit: les fidèles qui sont contraints de s'exiler, arrivent dans d'autres cultures, au prix d'un déracinement dramatique, et découvrent de nouvelles façons de penser, perdent leur attachement aux anciennes croyances.

Pire encore: alors qu'elles sont garantes de la bonne moralité, les excès démographiques soutenus par les religions favorisent le déclin de la moralité: vol, prostitution, proxénétisme, drogue et trafic de drogue.

La loi de l'univers renie les prétentions qui s'autorisent à briser les équilibres fondamentaux.

Dès qu'il y a apparition d'un déséquilibre, nous ne suivons plus la volonté divine.

Il s'ensuit une correction implacable, selon les lois de l'univers.

Mais quel peut donc être le sens réel de la parole invitant à être fertile et à se multiplier?

Des érudits suggèrent diverses interprétations: procréer était certes important à une époque où la vie était courte et précaire. Ce n'est plus le cas maintenant.

La multiplication arithmétique était en ce temps là, et pour longtemps encore, une opération inconnue. On ne connaissait que l'addition et la soustraction. (1)

Donc la parole exprimée à l'origine doit se traduire non pas par l'idée de se multiplier, mais par l'idée d'ajouter, de croître ; on comprend donc qu'il s'agit aussi bien de s'enrichir spirituellement. Être fécond, porter fruit, s'applique au développement spirituel.

Accroître sa sagesse, être fécond dans sa croissance spirituelle, ce qui correspond davantage au personnage qui parle. D'autant plus que, selon d'autres chercheurs, la phrase n'est pas un commandement, mais une bénédiction envers toutes les créatures. (2)

Il est également question de « descendance aussi innombrable que les étoiles du ciel ou les grains de sable du rivage. » (Genèse, 22.17)

Ne mettons donc pas en question le texte originel, mais observons qu'il ne dit pas que ces milliards d'humains doivent se présenter tous en même temps ! Ils peuvent donc venir, de façon étalée, équilibrée et vivable, au cours des siècles. Le bon Dieu n'en sera pas fâché.

Pour nombreuses qu'elles soient, les étoiles ne se gênent pas. Chacune conserve son espace et leur interaction de toutes entre elles demeure harmonieuse. Leur multiplication inouïe et incommensurable ne conduit pas à leur dégradation collective.

Dans une interprétation vraiment spirituelle « les étoiles du ciel » signifie la qualité de personnes pleinement réalisées, parfaites. Cela ne s'applique pas aux êtres imparfaits que nous sommes à présent en ce monde. Cela se réfère à des êtres devenus aussi lumineux, purs et clairs que la lumière des étoiles, c'est à dire parvenus au terme de leur évolution.

Si nous étions des hommes vrais, des personnes pleinement évoluées, la multiplication démographique ne serait pas un problème – si toutefois elle se produisait. Les hommes pourraient être aussi nombreux que les gains de sable au bord des océans, ils ne se gêneraient pas, il n'y aurait aucun conflit entre eux, ni beaucoup de différence entre eux, mais une seule grande harmonie.

On n'atteint pas Dieu en se multipliant, on atteint Dieu en se purifiant. Dieu n'a pas besoin qu'on lui fabrique des multitudes pour lui faire plaisir. Il n'a besoin de rien, il n'est pas dépendant de notre activité.

En prêchant la multiplication illimitée, les religions commettent un péché contre le milieu naturel, et un péché encore plus grave contre l'humanité. Leurs bonnes intentions et leur savoir limité contribuent largement à maintenir l'humanité au niveau le plus proche de l'animalité.

Les religions qui ont créé des cultures de prolifération portent une large responsabilité dans le poids démographique qui maintient une abjecte misère dans de nombreuses parties du monde. Les religions n'ont-elles pas de responsabilité dans les cultures qui ont fait apparaître les favelas de Rio, les quartiers surpeuplés de Sao Paulo ou du Caire, ou de Mexico, la pauvreté indéracinable des Philippines, de l'Indonésie, du Pakistan, du Bangla Desh, etc. …

Mais nous pointons du doigt la responsabilité de prédicateurs qui se considèrent au-dessus de toute responsabilité. Ce ne sont pas eux qui vont assumer l'avenir matériel, les besoins éducatifs et médicaux ou l'approvisionnement des foules qu'ils contribuent à faire apparaître.

Sans le savoir, ils sont dangereusement irresponsables. Leurs intentions sincères mais mal inspirées font apparaître des enfers ici bas, ou en tout cas une forme de damnation terrestre.

L'erreur est dans l'interprétation et la motivation humaines

Les idées que véhiculent les religions anciennes sont souvent d'une désolante immaturité qui remonte à des époques éloignées. Par exemple cette idée infantile que plus les fidèles sont nombreux, plus leur religion est vraie. Est-ce là une preuve ?

Les erreurs que les religions véhiculent ne proviennent pas du message originel, mais des interprétations purement humaines qui s'y rajoutent. Une motivation purement humaine obscurcit et fausse le message. Les hommes calculent souvent pendant des siècles pour trouver l'interprétation « correcte,» mais s'ils n'ont pas suffisamment de profondeur spirituelle, ils échafaudent des constructions mentales qui ne proviennent que de leur vision limitée.

Ainsi se construisent des théologies qui sont des châteaux de cartes, car la réalité spirituelle ne dépend pas de spéculations mentales.

Le verset de la Bible qui déclare : soyez féconds et développez votre sagesse, demande également de « dominer la terre. » (Genèse 1,28) Dominer les poissons et les oiseaux signifie bien développer les capacités mentales et la technologie pour régner sur la terre. Mais dans une lecture vraiment spirituelle, la terre, c'est le monde concret par rapport au ciel. La terre, c'est donc aussi le corps par rapport à l'âme. Dominer la terre, c'est contrôler le corps, c'est se discipliner, entretenir les énergies corporelles pour qu'elles nourrissent la croissance de l'âme.

Les textes anciens peuvent comporter plusieurs niveaux d'interprétation. Il est de notre responsabilité de comprendre quelle interprétation convient à des circonstances ou des époques différentes. Ainsi l'enseignement des religions est-il très relatif.

L'admonestation qui nous invite à vivre comme les oiseaux du ciel et les lys des champs (Matthieu 6.28) peut-elle encore avoir cours de nos jours ?

Maintenant, nous n'en sommes plus à recevoir la manne du ciel, ni les bienfaits d'une terre abondante, nous en sommes parfois réduits à aller fouiller les décharges pour trouver à manger, nous en sommes parfois réduits à vendre des organes pour survivre.

Notre responsabilité nous engage à comprendre que les enseignements du passé ne répondent pas toujours aux besoins du présent. Les grandes religions ont reçu un message qui était approprié pour une certaine époque et un certain endroit. Il était limité dans le temps et dans l'espace.

Les religions ne lèvent pas le voile d'ignorance qui

recouvre la condition humaine. C'est à nous de savoir comment nous y prendre pour nous tirer d'affaire. Les religions n'indiquent pas la voie d'un développement complet. Elles ne tiennent pas compte des différents niveaux de l'existence.

Par exemple, si on ne développe que le niveau spirituel sans commencer au bas de l'édifice, on construit une maison en commençant par le toit.

N'est-ce pas le cas d'un peuple aussi spirituel que les Hindous, qui, s'ils négligent de fournir d'abord aux besoins du développement matériel se verront contraints d'aller se purifier dans un fleuve sacré dont les eaux seront devenues impures ?

Un développement complet et équilibré se fait du bas vers le haut, tout en étant commandé par le haut. Du niveau matériel vers le culturel et le spirituel, mais il est dès le départ dirigé par les valeurs spirituelles.

L'alternative aux religions

En jugeant l'arbre selon ses fruits, on peut évaluer de l'extérieur l'influence des religions : ne contribuent-elles pas à produire de la pauvreté, de la privation, des guerres, de la haine, du fanatisme, des divisions ? Pourtant il est hors de tout doute que leur message originel est respectable.

Tous ceux qui pratiquent, qui consacrent leur vie à la religion obtiennent une communication véritable avec le divin. Leur expérience et les bénéfices qui en découlent ne sont nullement illusoires. Si nous allons dans un espace sacré, comme un temple, nous ressentons la présence de l'énergie spirituelle.

Pour obtenir le contact avec le divin, il est un passeport efficace, c'est la sincérité.

Le temps est venu, non pas de mettre en question les textes anciens, mais de retrouver plus profondément le sens profond de ces messages, la vérité cachée dans toutes les religions.

Les religions traditionnelles nous paraissent maintenant insuffisantes parce qu'elles s'adressaient à une humanité primitive. Leur but était essentiellement d'orienter l'homme vers Dieu. Pour cela, elles définissent des règles de conduites, elles font progresser en définissant une morale à suivre. Mais dans ce cas, l'homme est encore séparé de Dieu, il n'est relié que par la prière occasionnelle.

L'étape nouvelle pour l'humanité conduit non pas à craindre Dieu, mais à rencontrer Dieu.

Le mysticisme est une alternative qui ne rejette pas les messages originaux, mais au contraire retrouve leur vérité profonde, fournit une voie avancée qui manque à la personne de l'ère présente.

Le mysticisme transforme l'être, fait progresser au moyen de spiritualisation, dans laquelle il n'est plus nécessaire de définir une conduite morale, car elle se crée spontanément. La prière n'est plus essentielle, elle est remplacée par la communion avec le divin, par exemple dans la méditation.

Les commandements ne sont plus essentiels, car l'action dans le bien est spontanée sans aucun commandement. La soumission à une volonté divine perd son sens dès lors que l'on s'intègre au divin. La foi cède la place à l'expérience directe.

Il faut que nous nous rendions compte que le plus important n'est pas dans les enseignements religieux, car le plus important ne s'écrit pas, et même ne se dit pas. Mieux vaut dépasser les traditions qui sont resté figées et laisser croître la perception spirituelle directe.

Conclusion

Les religions ne répondent plus aux besoins de l'humanité moderne.

Confucius, le Bouddha, Moise, Jésus Christ, Mahomet et quelques autres n'ont pas réussi à améliorer le monde. Ils n'ont pas pu prévenir les malheurs humains survenus après eux. Les sages savent que les problèmes du monde sont trop importants pour qu'un seul personnage les change.

Les besoins des personnes modernes concernent à la fois une vision intellectuelle cohérente du monde et un moyen pratique de suivre un chemin spirituel personnel. C'est effectivement le mysticisme qui répond à ces deux nécessités.

« La pensée orientale intéresse désormais un nombre important de personnes, la méditation n'est plus l'objet de ridicule ni de méfiance, le mysticisme est donc maintenant pris au sérieux même au sein de la communauté scientifique. Les scientifiques sont de plus en plus nombreux à se rendre compte que la pensée mystique apporte aux théories de la science moderne un arrière-plan philosophique cohérent et approprié, une conception du monde dans laquelle les découvertes scientifiques des hommes et des femmes peuvent se trouver en parfaite harmonie avec leurs objectifs spirituels et leurs croyances religieuses. » (3)

Au niveau du cheminement individuel, la réponse est la même :

« La personne est de plus en plus aliénée, réduite à être un simple rouage dans une machine qui est fabriquée par des pouvoirs et des autorités au-delà de son contrôle, elle est ainsi privée de la possibilité de développer son potentiel spirituel humain véritable. C'est ce potentiel spirituel de la personne qui, s'il est pleinement développé, lui apporte finalement la satisfaction, le contentement, le bonheur. » (4)

Le chemin qui se présente à la personne moderne est celui de l'évolution individuelle. Les hommes ont été conduits en troupeau, alors que la responsabilité du destin de chacun est personnelle. Cela signifie que cette voie n'est plus celle d'un Dieu externe à soi, mais d'une réalité spirituelle interne à soi à laquelle on s'intègre, et qui correspond à la réalité spirituelle universelle.

Le mysticisme est la compréhension non verbale du sens de notre destinée.

Dans la nuit froide et noire de l'hiver, la nature prépare en secret les éblouissantes floraisons du printemps.

De notre époque sombre et détraquée pouvons nous espérer qu'il sortira un monde aussi éblouissant que nous puissions le faire – et dont nous n'avons pas encore idée ? Ce n'est pas garanti, le résultat peut être le pire ou le meilleur, il sera ce que nous en ferons.

11. Comprendre le monde

Avant l'apparition du monde

Avant le commencement de l'univers était le Vide.

Ce vide est extrêmement particulier.

C'est l'absolu, c'est-à-dire un néant qui n'est pas le néant. Le néant est relatif par rapport à l'être, tandis que le Vide Originel est absolu, il ne se pose pas par rapport à l'être, il inclut à la fois l'être et le néant, (ainsi que la relation entre les deux.)

Et on dit aussi qu'il n'est ni l'être ni le néant. C'est l'absolu.

C'est un état de non-être illimité, en dehors du temps et de l'espace. (Non-être signifie sans aspect décelable.) C'est un présent éternel non localisable, l'infini.

On dit aussi qu'il est :

« Si grand qu'il n'a pas d'extérieur, si infime qu'il n'a pas d'intérieur. » (1)

Ce vide est par conséquent absolument imperceptible, invisible, inaudible, impalpable, insaisissable : il est indéfinissable, et en principe ne porte pas de nom. C'est l'inconnu suprême.

Il est éternel, immuable, non sujet au changement, il s'engendre lui-même. C'est tout ce qui en est dit.

Il n'est pas sujet à mutation, mais pourtant son inactivité n'est pas inactive. Ce vide est une énergie.

Cette énergie primordiale est la seule réalité qui soit éternelle, elle est présente partout, c'est « la substance insubstantielle » de l'univers.

L'expression du vide dans le vide, c'est l'énergie primordiale. Ce qui était non manifesté et non exprimable va devenir manifesté lors de l'apparition du monde.

Mutation, le chaos

Il se produit une mutation qui est nommée chaos. Le chaos est un état de mutation, changeant, qui ne peut être saisi sous aucune forme. Il se produit dans le non manifesté.

Un état de confusion qui est un mélange dans lequel le tout, qui n'existe pas encore, se trouve présent et indifférencié. Toutes les catégories d'être s'y trouvent confondues et indistinctes et imperceptibles.

C'est comme une potentialité existant mais non exprimée qui peut donner par la suite une apparition définissable.

Le chaos, cet état de mutation est décrit comme un portail, il fonctionne comme un point de passage invisible où l'énergie primordiale entre et sort.

Ce faisant, l'énergie se transforme elle-même de l'état de non-être à l'état d'être et inversement. Cela signifie la transformation d'une essence non manifestée en des objets manifestés, et inversement. L'état de non-être signifie une présence qui n'est pas manifestée. (2)

Dans sa mutation, cet être changeant devient le Un. C'est la première phase de l'énergie primordiale.

Cet Un forme déjà une entité non manifeste à partir de

laquelle l'univers prendra naissance. Cet Un est «le commencement de la transformation des formes,» c'est-à-dire que l'ensemble des potentialités non manifestées au sein du chaos va devenir manifeste.

La première phase de l'énergie, l'Origine subtile

Cette première phase reçoit des appellations diverses. On parle d'Œuf primitif contenant toutes les potentialités, ou encore d'une Mère Mystérieuse, ou bien d'une Origine Subtile, ou du Un, d'une Unité primordiale, ce qui revient à la même chose. Il s'agit d'un état où rien n'est distinguable.

Cet Un est un univers incréé (c'est-à-dire qui n'est pas encore né.) Cette unité indéfinissable est l'origine de toute chose, de toutes les existences.

Au sein de cette unité se produisent deux mouvements ou deux courants qui se réunissent, se mêlent, mais qui sont cependant distincts. Ils sont des forces opposées mais dépendant l'une de l'autre et se soutenant l'une l'autre. C'est une unité de contraires qui se complètent et s'équilibrent. Comme le positif et le négatif.

Les deux forces maintiennent l'équilibre entre elles en se transformant l'une dans l'autre.

Alors que le premier état, le Vide primordial est inchangeant, ce qui en est produit ne cesse d'être une suite de transformations perpétuelles et permanentes.

C'est ce mouvement de l'énergie primordiale, du Un indivis, qui crée la polarisation. Cette polarisation n'engendre pas de division ni de séparation. Le mouvement des deux courants se trouve intégré par la puissance de l'Unité indivise.

Lorsque les deux forces opposées et complémentaires s'unissent au sein de l'Unité primitive, il en résulte l'apparition d'une troisième force, qui est l'énergie originelle. C'est l'union, l'intégration des deux forces qui engendre la troisième, et qui engendre l'univers.

Ainsi un texte ancien dit-il que le un crée le deux, et le deux crée le trois.

Le surgissement d'une troisième force est une nouvelle phase

La troisième entité qui se crée naît donc au sein du Un primitif. On dit qu'elle est issue de la tension initiale entre les deux forces opposées.

Mais elle n'est ni l'une ni l'autre des deux polarités, elle est donc neutre, et par conséquent, elle est aussi la continuation de l'énergie primordiale qui englobe le mouvement des deux forces contraires, et qui a lancé ce mouvement.

On l'appelle énergie originelle. Mais on peut aussi toujours l'appeler énergie primordiale, puisque ceci se passe encore dans une phase ou les distinctions ne sont pas manifestes, mais virtuelles, indivises et unies au niveau subtil.

Cette deuxième phase est le Ciel

Un ordre commence à s'établir. Voici comment s'établit la différenciation des premières énergies :

« L'énergie s'est différenciée en un souffle léger et pur qui s'est élevé et a formé le Ciel, et d'autre part un souffle opaque et lourd qui est descendu et a formé la Terre.

Le propre du Ciel est d'être pur et mobile, celui de la Terre est d'être opaque et stable. »

On reconnaît ici l'apparition simultanée de l'esprit et de la matière.

Qu'est-ce que le Ciel ?

Dans le mouvement de polarisation qui produit deux contraires plus le troisième entre les deux, le Ciel constitue donc l'élément léger et pur qui s'élève.

Le Ciel est directement issu de l'Unité première, et il en conserve le contenu, mais maintenant celui-ci s'est différencié.

C'est-à-dire qu'il contient les deux polarités contraires, plus la troisième force qui a suscité la différenciation.

Il conserve aussi la caractéristique précédente qui était l'état subtil, ce qui signifie un état non manifesté.

Donc cette phase subtile et immatérielle constitue encore une Unité subtile, elle demeure aussi une seule et même unité, mais dans laquelle trois éléments sont différenciés, on peut en dire que c'est une Trinité.

Au sein de l'Unité Originelle qui est cette Trinité, ce trois en un, les entités différenciées sont l'Esprit Originel, Le Souffle vital Originel, et l'Essence Originelle des formes. C'est cela qui constitue le Ciel.

Les trois domaines de la nature céleste

L'Esprit originel demeure encore identique à l'Origine subtile.

Il est le domaine de L'Unité indivisible.

Il est la force créatrice de l'univers.

Il est aussi le domaine du monde spirituel. Il est le pouvoir spirituel. Il est le centre fonctionnel qui dirige l'univers. Il est le domaine de la loi qui régit l'univers.

Chez l'homme, il est l'esprit, c'est-à-dire le centre fonctionnel qui dirige l'organisme.

Il est un niveau céleste de 'pureté ultime'. Cette pureté se manifestera chez nous dans les valeurs spirituelles fondamentales : le Bien, le Beau, le Vrai et le Sacré. C'est le domaine de l'amour universel.

Le domaine intermédiaire est **le Souffle vital originel**, la force vitale cosmique. Il est à la fois l'intelligence et l'essence de la vie. Il est le domaine du monde mental, il est la 'pureté de cristal', il est le pouvoir rationnel. Il correspond au niveau humain.

Le troisième terme de la Trinité est l'énergie correspondant niveau terrestre. Elle est **l'Essence originelle** qui engendre les formes.

Chez l'homme, elle correspond à la forme corporelle. Elle est le domaine physique, le pouvoir organique. Elle est la 'grande pureté', elle règne sur l'énergie qui crée et reproduit le corps physique. Elle inclut donc l'énergie sexuelle et le code génétique. Elle inclut l'énergie de l'intérieur de la terre, et des cinq éléments.

La trinité céleste constitue donc un monde virtuel qui précède, engendre et double le monde physique, qui constitue sa contrepartie spirituelle, sa polarité opposée. C'est l'ensemble de cette trinité du Ciel primordial, unie à L'Origine subtile, que l'on pourrait considérer comme « Dieu. »

Ainsi les trois domaines contiennent l'énergie qui

constitue les trois étages de l'univers, soit l'esprit, la vitalité et la matière de l'univers.

Ils 'se coagulent' pour former l'esprit, le mental et le corps de la personne humaine,

Ils correspondent aussi à des centres énergétiques dans la personne humaine, nous y sommes directement reliés.

En pensant à ces choses de façon moins intellectuelle et plus vivante, on dit du Ciel que c'est un lieu de paix, de bonheur, de liberté et d'éternité. Là vivent des dieux et des déesses immortels.

C'est le Paradis où peuvent accéder les humains qui ont terminé leur évolution, qui se sont pleinement réalisés au cours de leurs existences terrestres.

Là se trouve l'énergie éternelle de l'univers, dans un état

durable et inchangeant, hors du temps et de l'espace, un monde de pure énergie parfaitement harmonieuse, loin des transformations tumultueuses que nous connaissons et qui se produisent sur les franges externes de l'univers.

Le Ciel peut se voir comme un niveau intermédiaire entre l'Unité indifférenciée et notre monde terrestre. Il y a une âme en nous qui appartient au domaine spirituel.

Il ne faut pas concevoir le passage d'une phase à l'autre comme des ajouts de morceaux dans un jeu de construction.

Nous avons affaire à un champ énergétique uni et unique, les transformations dépendent les unes des autres, mais sans se remplacer, ni s'abolir entre elles.

Il se passe une évolution en flux dans laquelle les états précédents demeurent après avoir enfanté la suite. Tous les états coexistent et s'interpénètrent. L'univers est un seul être, un seul tissu, un seul champ énergétique assumant des compositions ou formes diverses.

Ne pensons pas en pièces détachées. Nous parlons de choses qui ne peuvent pas se couper en morceaux, et donc qui ne peuvent pas très bien être figées dans des concepts fixes. Mais un esprit souple peut saisir la situation d'ensemble et ses transformations.

Ainsi, à partir de notre point de vue, l'énergie primordiale du Vide, le chaos, l'Unité originelle, et même le Ciel sont pratiquement la même chose, des actions ou des fonctions d'une même puissance au sein du monde invisible.

La troisième phase est l'apparition de l'univers tangible

Nous reprenons au moment où l'Unité primordiale se divise, les deux forces sont créées :

« L'énergie s'est différenciée en un souffle léger et pur qui s'est élevé et a formé le Ciel, et d'autre part un souffle opaque et lourd qui est descendu et a formé la Terre.

Le propre du Ciel est d'être pur et mobile, celui de la Terre est d'être opaque et stable.

Les souffles intermédiaires en se mélangeant harmonieusement produisirent l'être humain. »

L'énergie créatrice

Lors de l'apparition de l'univers tangible, la première force à se mettre en branle est la force créatrice, le premier terme de la Trinité céleste.

Elle est une vibration subtile et continue qui ne cesse de s'étendre comme des vagues successives dans toutes les directions et qui suscite l'apparition de tous les phénomènes. (C'est là que se placerait le Big Bang, l'énergie créatrice est aussi 'le feu et le tonnerre'.)

Son mouvement crée le temps et l'espace, conduit la transformation des choses dans le monde manifeste (tout en demeurant aussi hors du temps et de l'espace, au sein de la Trinité spirituelle.)

Issue et synonyme de l'énergie primordiale, cette force s'engendre elle-même sans être créée. C'est elle que l'on pourrait confondre avec un Dieu personnalisé, mais elle ne peut se réduire à une limitation conceptuelle. Elle engendre tout ce qui est.

Cette force peut aussi être décrite comme la nature même de l'univers, la nature universelle, la force de vie universelle, l'origine de tous les phénomènes, y compris la non-existence.

Cette force positive, cette énergie primordiale, est l'âme vivante de l'univers.

La Terre

Dès que la force créatrice agit, son mouvement fait apparaître sa polarité opposée car les deux forces s'engendrent l'une l'autre. Elles existent l'une par l'autre, l'une dans l'autre. La première crée, la deuxième, en réaction, structure, complète, maintient.

La force complémentaire de l'énergie créatrice est la Terre, c'est-à-dire toute la matière de l'univers.

À mesure que la création se concrétise, des différences de vibration apparaissent dans le courant d'énergie universelle. C'est-à-dire que, à mesure que les fréquences vibratoires diminuent, l'énergie assume des formes grossières, c'est-à-dire concrètes et visibles.

Plus l'énergie s'éloigne de la source originelle, plus les vibrations ralentissent et plus l'énergie devient manifeste.

C'est pourquoi il est dit que tout est énergie vibratoire dans l'univers et que le phénomène de l'univers est la manifestation en continu de la même énergie, depuis l'état le plus subtil jusqu'à l'état le plus grossier. Plus on remonte vers la source, et plus les fréquences deviennent intenses, au point de disparaître complètement. Plus on s'éloigne de la source, plus la polarité lourde se condense pour donner le monde de la forme. Les traditions parlent d'une coagulation, d'une coalescence ou condensation des «souffles», c'est-à-dire de courants d'énergie. C'est ainsi qu'apparaît la matière, en commençant par les constellations. La manifestation apparaît d'abord sous forme de lumière, de chaleur et de mouvement.

Cela peut se rapprocher de ce que la physique moderne nous apprend. Au niveau sub-atomique, il n'existe pas de particules solides formant la fondation de la matière. Ce qui apparaît au fondement des choses, ce sont des relations, des connections, des rapports énergétiques. La matière est composée d'un tissu de relations entre diverses parties. C'est dire que les corps physiques sont en fait composés d'énergie immatérielle. (3)

Le deux et le trois

Du moment qu'ils sont créés, les deux premiers composants, le Ciel et la Terre, l'esprit et la matière, sont unis, et animés, par un troisième, qui est l'énergie vitale. Le trois est l'énergie qui surgit entre les deux, au centre. Elle résulte de l'interaction des deux autres, de la vibration qui se produit entre les deux, mais en même temps, elle est aussi la présence, la continuation de l'énergie originelle qui est apparue au sein de l'Unité primitive.

Comme les deux autres, elle est aussi un degré de différenciation de l'énergie originelle primitive.

La matière, l'esprit et l'énergie vitale ne sont que des états de condensation différents de l'énergie primitive.

La composante matière est plus condensée, l'énergie vitale plus raréfiée, la composante spirituelle est immatérielle.

L'énergie qui compose le monde visible se diffuse depuis le niveau céleste.

La sphère manifestée voit se révéler trois dimensions, l'esprit, la vie et la matière, qui sont la continuation de l'Esprit originel, du Souffle vital originel, et de l'Essence originelle des formes déjà présents dans la trinité céleste.

Si on ne sait pas trop ce que c'est qu'une trinité, on peut penser à soi-même : nous possédons un corps, il est équipé d'un esprit et animé par une énergie vitale, nous sommes une trinité.

Passage du 3 au 5

Passer du deux et trois au quatre et cinq.

Nous avons les trois composantes fondamentales de notre monde, l'esprit, la matière, et l'énergie vitale qui les anime et les unit.

Dans sa grande expansion, ce trois donne naissance aux dix mille êtres, c'est-à-dire à toute la diversité de la création.

À nous donc de continuer à suivre ce développement.

À mesure que l'énergie se ralentit dans le processus de création, la première polarité se dédouble, c'est-à-dire qu'elle devient, disons, la force A' un peu moins forte avant de devenir la force A pleine.

De même, l'autre polarité devient la force B' un peu moins forte avant de devenir la force B pleine.

Nous avons maintenant donc quatre forces en présence, ce qui signifie cinq.

La cinquième force en présence est le tissu d'énergie

originelle qui porte et permet ces transformations. Le champ neutre entre les polarités. Il est le champ d'énergie universelle qui porte les transformations depuis le début.

C'est la force qui harmonise et tient ensemble les quatre autres.

Ces quatre forces sont toujours polarisées, toujours opposées deux à deux, toujours en transformation successive de l'une dans l'autre, c'est-à-dire qu'elles fonctionnent en cycle. Notre monde est fondamentalement cyclique.

Observation du cycle

Prenons l'observation du cycle au niveau le plus simple.

La première force (A') est le mouvement dynamique, le lancement, la croissance, une poussée vers le haut.

La deuxième force (A) est la pleine expansion de la précédente, elle devient une accélération qui conduit à la dispersion, la dissipation, la consumation.

La troisième force (B') est une énergie de régression, de retour vers le bas, de refroidissement, de retombée, de ralentissement.

La quatrième force (B) poursuit le mouvement de contraction, de condensation, d'agrégation, de rassemblement.

Pour que les quatre forces puissent accomplir leur cycle parfait, il est nécessaire qu'elles soient tenues ensemble par une cinquième force qui permette que le mouvement de chacune ne conduise pas à sa disparition, mais au contraire à sa continuation en se transformant dans la suivante.

Quand une force atteint son développement maximum, elle mute pour donner une force moindre de polarité opposée, laquelle va grandir jusqu'à l'excès pour alors muter et donner la petite force de polarité opposée qui va croître et ainsi de suite.

La cinquième force est celle qui effectue la transition entre chacune des quatre phases, en les transformant elle permet que les forces se tiennent ensemble et que leur fonctionnement cyclique puisse se maintenir. Elle est aussi le champ commun sur lequel le cycle s'effectue, c'est-à-dire le lien qui existe entre le plus et le moins.

Alors que les quatre autres sont polarisées et s'opposent deux à deux, celle-ci est neutre mais maintient les polarités face à face, c'est-à-dire la 1 (force légère, A' disions-nous ci-dessus) opposée à la 3 (B' force lourde), la 2 (A, force faible) opposée à la 4 (B, forte.)

La force 5 est l'énergie originelle, l'énergie centrale de l'univers qui se diffuse depuis l'Origine subtile et le niveau céleste, et qui est naturellement présente partout. La cinquième force est une force spirituelle, sans trace aucune sur le plan physique. C'est pourtant celle qui donne sa cohésion à tout l'univers, qui assure l'équilibre entre les autres forces et leur permet de durer dans la stabilité, de ne pas retourner vers le chaos.

Nous avons parlé de ces forces, ou mouvements, en leur qualité abstraite. Dans leur matérialisation, ces forces sont les cinq éléments qui constituent le monde dès lors qu'ils prennent forme palpable.

Il est heureux de constater que la science moderne a aussi découvert quatre forces fondamentales dans l'univers, qui correspondent assez bien à celles du cycle de base décrit par la tradition.

La force 1 correspond à l'électromagnétisme, la force 3 à la gravité, tandis que la 2 et la 4 correspondent à la force nucléaire faible et à la force nucléaire forte. (4)

Lever de rideau. La vie sur terre

À mesure que le processus de création se continue, c'est-à-dire que les fréquences énergétiques vibratoires diminuent, les énergies composantes continuent à se dédoubler tout en s'associant, et ainsi apparaissent les multitudes d'êtres qui peuplent le monde.

Nous sommes parvenus au monde visible, au lever de rideau sur la vie et les milliers d'êtres.

Nous avons remarqué précédemment que la sphère manifestée voit se révéler trois dimensions, l'esprit, la vie et la matière.

Dans le monde que nous connaissons :

L'énergie pure et légère se transforme en esprits.

L'énergie impure et lourde devient la matière. L'intégration des deux devient la vie.

En nous reportant aux cinq éléments qui constituent le monde, les éléments 1 et 2 (forces A' et A) correspondent à l'esprit. Les éléments 3 et 4 (forces B' et B) sont la matière, et le cinquième, la vie.

Les correspondances analogiques peuvent rendre compte de tous les aspects de l'univers, et identifier toutes les transformations, toutes les multiples apparences différentes d'une même énergie.

Le 1 et le 2, c'est l'esprit, mais c'est aussi le feu, (par identification analogique reconnaissant une nature semblable. Cela veut dire que les deux sont issus d'une seule et même énergie avant de se différencier.)

Le 3 et le 4 sont la matière, mais c'est aussi l'eau, (par reconnaissance analogique. Cela signifie que les deux proviennent de la même énergie avant qu'elle ne se diversifie.)

Ainsi naît la vie des créatures, par l'intégration des quatre éléments sous la conduite du cinquième.

La vie naît dans l'intégration du feu de l'énergie solaire avec l'eau qui s'est formée sur terre.

C'est-à-dire que le contenu énergétique = les 'esprits' des quatre éléments ont pris forme tangible grâce à l'action harmonisante, du cinquième.

La vie arrive avec l'intégration des 5 éléments.

«L'énergie s'est différenciée en un souffle léger et pur qui s'est élevé et a formé le Ciel, et d'autre part un souffle opaque et lourd qui est descendu et a formé la Terre.

Le souffle harmonieux qui surgit au centre entre les deux constitue l'être humain.» 'Souffle harmonieux' n'est pas une expression cabalistique, cela signifie une énergie qui a intégré les cinq éléments.

Les cinq éléments

Les cinq forces qui constituent l'univers se retrouvent partout dans la nature, par analyse analogique on les retrouve dans les diverses planètes aussi bien que dans les organes principaux de l'organisme ou dans les saisons de l'année.

Elles rendent compte aussi du fait que le fonctionnement de l'univers soit cyclique et que la vie soit cyclique.

On retrouve les cycles identiques dans le déroulement de la journée, de l'année, de l'existence, etc. ...

Les cinq éléments forment les composants constitutifs de la créature vivante, et aussi schéma du déroulement de son existence.

Toutes ces créatures seront le reflet, ou la projection

selon le même schéma du milieu qui les fait naître, comme des répliques dont le motif se répète dans des dimensions différentes.

Suivons patiemment encore une étapc supplémentaire dans le dédoublement des énergies, et on passe du **quatre** (les cinq phases ci-dessus, 4 + 1 qui est le lien et le champ commun ne se dédoublant pas) à **huit** évidemment (soit 8 + 1.) Ces huit dernières manifestations résument l'ensemble des phénomènes de la création.

On parle donc du ciel, du tonnerre, de l'eau, de la montagne, du vent, du feu, du lac. Cette dénomination peut faire sourire, mais en réalité elle représente des images symboles dont la signification est très profonde et va plus loin que l'aspect visible.

Ainsi, pour ceux qui comprennent en détail le fonctionnement des énergies invisibles, il est possible de comprendre pourquoi nous avons deux bras et deux jambes, cinq doigts sur la main et deux yeux dans le visage.

Une vision complète qui voit plus loin que les objets concrets sait saisir comment nous sommes une petite réplique de l'univers qui nous enfante.

La fin du monde

La fin de l'univers ne se produit pas. Il est dit assez mystérieusement que le flux d'énergie s'étend sans limites, et retourne sur soi-même car il ne se quitte pas.

Il y a un mouvement perpétuel de toutes choses pour retourner à leur source et se régénérer sans cesse. L'univers se recrée donc de façon continuelle. Il ne s'épuise pas. (5)

On peut dire qu'il est lui-même un cycle.

Conclusion

Ce rapide coup d'œil sur la genèse de l'univers nous a permis de comprendre que l'univers fait partie d'une seule énergie qui s'étend depuis un état de vide indéfinissable jusque dans des milieux célestes intermédiaires comprenant des êtres spirituels, pour aboutir enfin dans le monde mental et physique qui est le nôtre.

La sphère céleste est le domaine du divin. Elle est le domaine de la vie éternelle, hors du temps et de l'espace, dans l'équilibre parfait de la polarité, un domaine d'harmonie hors de tout conflit et de toute négativité.

Le fruit de cette compréhension provient d'une tradition qui a débuté à l'âge de la pierre et qui nous a transmis ces connaissances amassées sans interruption depuis l'aube de l'humanité.

Ces connaissances font preuve d'une finesse et d'une précision remarquables, elles sont dignes d'être maintenant rejointes par le savoir avancé de la science moderne.

La gangue du langage antique, de son imagerie et de ses symboles souvent totalement obscurs peut maintenant être décortiquée et nous donner accès au diamant qui se trouve à l'intérieur.

Les sages de l'antiquité ont réussi à comprendre le monde en laissant leur esprit communier avec l'esprit universel. En s'intégrant ainsi à l'univers, ils recevaient une compréhension intuitive intégrale. C'est un procédé que nous ne possédons plus. Ils avaient accès au monde invisible qui nous entoure, et pouvaient le déchiffrer sans erreur. La connaissance qu'ils nous ont transmise est peu à peu confirmée par nos savoirs modernes. Mais nous sommes encore loin d'avoir pu valider tout ce qu'ils nous ont légué.

Cela nous révèle en particulier, que notre univers n'a pas été créé par une intervention extérieure à lui, et qu'il ne correspond pas à un plan intentionnel ou un dessein préétabli. Il est tel qu'il est de façon naturelle. Il se crée lui-même perpétuellement à partir d'une énergie primordiale qui n'est ni matière ni esprit. Il ne s'agit pas d'un Dieu personnel, mais d'une puissance qui se maintient en qualité d'énergie.

Une autre prise de conscience particulière nous fait voir que cette énergie originelle est du même coup la réalité de notre propre nature :

Nous sommes dans un monde où la polarisation est extrême, c'est-à-dire que l'harmonie qui existait entre les contraires complémentaires devient chez nous des conflits. Les volcans coexistent avec les inondations, les déserts brûlants avec les déserts glacés.

La souffrance, la haine, la maladie coexistent avec l'amour, la joie, la créativité … Nous pouvons nous sentir aliénés les uns des autres, perdus dans un monde hostile, nous pouvons croire que notre être se réduit à notre corps physique.

Il est donc important pour nous de réaliser que nous sommes plus que cela, que notre nature est la nature céleste et que nous pouvons donc nous y reconnecter pour retrouver l'équilibre et nous tirer d'affaire.

12. L'esprit et la matière

Mise en garde

Le contenu de ce chapitre (et de certains autres) peut choquer certaines personnes. En conséquence, personne n'est prié de croire ce qui est écrit ici, surtout si cela menace son bien-être mental. Si personne ne le croit, ce n'est pas grave du tout, car cela demeure vrai quand même.

Ceux qui sont prêts à en approcher le contenu le trouveront peut-être digne d'intérêt, et ceux-là savent aussi que ce contenu est moins une question de croyance que d'ouverture et d'expérience personnelle subtile. La compréhension dépend du niveau de développement de chacun.

Il est à remarquer aussi que ce qui est dit se retrouve sous une forme plus ou moins différente dans la plupart des traditions. Toutes les cultures mentionnent la présence de diverses catégories d'esprits, d'anges, d'archanges, de Devas, etc. Il ne s'agit donc pas d'un scoop.

La nouveauté se trouve peut-être pour nous dans les caractéristiques précises qui sont détaillées. (Excusez les répétitions, elles sont sans doute nécessaires. Reconnaissons aussi que ce chapitre constitue une potion malheureusement trop concentrée qu'il vaut mieux consommer à petites doses.)

Le monde de l'esprit pur : le ciel primordial

Le monde de l'esprit pur est celui de l'Unité primordiale, la trinité insubstantielle qui forme le Ciel, le domaine de l'énergie originelle, de la force créatrice.

Ce domaine céleste diffuse son énergie pour donner naissance au reste de l'univers et demeure présent au sein de l'univers dont il constitue la première phase.

Le domaine céleste est peuplé d'êtres spirituels supérieurs qui n'ont aucune forme concrète. Ils sont faits de la substance insubstantielle de l'Origine subtile, c'est-à-dire de l'énergie originelle. Ils sont capables de prendre une forme ou de la dissoudre. Ils sont à la fois dans l'être (en prenant une forme subtile non solide) et dans le non-être (lorsqu'ils la dissolvent.) S'ils prennent forme, c'est pour accomplir une fonction spécifique de l'énergie Originelle.

Leur forme, ou corps subtil, est de l'énergie lumineuse qui peut être colorée.

L'esprit dans le monde manifesté

La création devient manifeste lorsque l'énergie céleste se diffuse. Depuis le Un originel, le champ d'énergie universelle se propage, des faisceaux d'énergie se répandent en spirale et produisent des formations nouvelles chaque fois qu'ils se croisent et s'entrelacent.

À mesure que l'énergie se propage, elle se ralentit et s'affaiblit, elle se condense, jusqu'à l'apparition de la matière, inerte, rigide et instable.

L'instabilité de la matière engendre d'incessantes transformations qui suscitent tous les phénomènes de la création.

Les myriades d'êtres de l'univers apparaissent dans ce flux de création continue.

Cependant, l'énergie spirituelle, l'esprit, ne disparaît pas lors de l'apparition des formes concrètes. Il y reste intimement associé et forme l'âme des choses.

Nous constatons donc que l'esprit reste présent dans le monde du temps et de l'espace, dans la matérialité.

C'est le Ciel dans le monde, ce que la tradition nomme **le ciel antérieur**, la présence énergétique spirituelle qui sous-tend l'apparition de la matière.

Les déités naturelles

Ainsi, les corps célestes, les constellations, les chaînes de montagne, les lieux d'une beauté particulière comme certains lacs ont une réalité spirituelle invisible bien sûr, mais qui fait intégralement partie de leur être. Quand les hommes se promènent sur la lune, ils ramassent des cailloux qu'ils emportent précieusement, mais ils ne voient pas l'immense pouvoir spirituel de ce satellite désertique à l'apparence désolée. (1)

Les êtres astraux

Notre ciel cosmique contient encore une catégorie d'êtres spirituels, mais nous sommes dans le monde manifesté, donc ces esprits possèdent une certaine forme corporelle. Ce sont les êtres astraux. Leur être comporte trois aspects : esprit, énergie et forme (=corps). Leur corps est composé de lumière.

Ce sont les premières créatures qui soient individualisées. Elles ont donc des caractéristiques individuelles.

Ces êtres ne sont pas éternels, mais leur existence est très longue, et de plus, ils sont capables de se renouveler pour prolonger leur durée de vie.

Ils résident dans des régions célestes spécifiques. Leur existence est heureuse, ils jouissent d'une totale liberté. Ils sont capables de se transformer et de se manifester sous différentes formes. Ils peuvent voyager partout sans être gênés par la durée, la distance ni la gravité.

Ils peuvent se rassembler en groupes ou en communautés.

Ils sont sensibles et très réactifs. Ils sont capables d'influencer les êtres inférieurs et l'évolution de ceux-ci. Ils exercent leur influence de façon favorable ou défavorable sans aucune préférence. Ils sont capables de venir dans le monde pour apporter leur aide.

En fait, ils sont eux-mêmes à l'origine de l'espèce humaine, ce sont nos ancêtres spirituels.

Les Immortels

Ce sont les très nombreux humains qui ont terminé leur évolution. Ils ont achevé leur destinée, ils ont réussi à se réaliser pleinement au cours de leurs existences successives. Ils ont transformé leur être interne de façon à pouvoir atteindre la vie éternelle après s'être débarrassé de leur corps physique. Ils peuvent aussi voyager librement dans le monde spirituel, et aussi revenir sur terre.

Ils ont accès aux divers niveaux célestes, et jusqu'au plus haut, c'est-à-dire l'Unité originelle, selon leur degré de réalisation.

Le domaine des ombres

Au-dessous du niveau spirituel des humains se place le monde contenant des énergies résiduelles d'existences humaines non complétées. C'est un monde d'esprits fantomatiques qui cherchent à se personnaliser. En certains endroits habités depuis longtemps, les spectres sont si nombreux qu'ils forment une pollution pouvant gêner le développement spirituel des humains par leur présence négative.

C'est une des raisons pour lesquelles les ermites sont attirés par les lieux d'isolement comme les montagnes et les déserts.

Les mondes inférieurs comprennent aussi ceux des démons capables d'interférer avec le destin des humains les plus vulnérables, c'est-à-dire les plus innocents. (2)

L'ensemble esprit-matière

L'énergie universelle dont le champ comprend tout l'univers visible et invisible est totalement immatérielle fait donc partie du domaine spirituel, de 'l'esprit.' Ce domaine spirituel n'est pas différent du milieu énergétique qui intéresse les physiciens.

Dans son unité primitive, cette énergie comporte trois ordres qui forment la trinité originelle.

Le premier ordre, celui de l'énergie créatrice concerne les principes, c'est-à-dire la loi que suit le monde.

Le deuxième ordre concerne la vie de l'univers, c'est le domaine de l'énergie vitale et de la pensée rationnelle.

Le troisième ordre concerne l'énergie opposée à l'énergie

créatrice, c'est elle qui structure ce que la première crée, c'est elle qui donne la forme.

Ces trois ordres sont purement spirituels dans le ciel, leur énergie en se diffusant crée le monde, mais cette présence spirituelle demeure dans le monde, elle n'en est pas séparée.

Il ne faut pas voir la création comme un empilement de dimensions séparées. Les dimensions s'engendrent entre elles, coexistent et s'interpénètrent, elles sont intégrées.

La phase de création du ciel consiste en la création des entités spirituelles dont nous venons de parler. Ces entités sont présentes autour de nous, le ciel est une réalité inséparable de la terre. Ces entités sont des êtres subtils, et elles peuvent communiquer par des moyens physiques.

Elles peuvent se manifester sous forme de sons, de chaleur, de lumière, de voix. Elles peuvent aussi assumer n'importe quelle forme, par exemple, devenir un arbre ou un papillon.

Cette communication est une expérience que beaucoup de personnes assez perceptives ont connue de tout temps, et encore de nos jours.

Il existe un monde parallèle d'êtres surnaturels avec lesquels les humains ont toujours su communiquer.

Pour les citoyens ordinaires actuels, il est devenu quasiment impossible de communiquer avec les êtres spirituels. D'abord, parce que en nous limitant à la pensée objective, nous établissons un écran qui empêche la communication. La communication ne peut se faire que par la pensée intuitive, que nous avons tendance à supprimer en nous.

Mais de plus, la communication est aussi difficile parce que pour rejoindre ou voir les êtres surnaturels, il faut avoir atteint le même niveau de pureté qu'eux, c'est-à-dire le même niveau vibratoire.

L'esprit dans la matière

En comprenant la genèse du monde, en comprenant que la matière est une condensation d'énergie subtile, on comprend aussi que les deux sont inséparables. «Toute chose est de l'esprit qui a assumé une forme.»

Les deux constituent une seule unité. L'esprit est l'essence de la matière, sa réalité profonde, tandis que la matière est la masse grossière, tangible, mais l'un ne peut pas être sans l'autre. Les deux s'y trouvent en coexistence, consubstantiellement.

L'union des deux se trouve en fait dans la présence de particules qui sont semi-spirituelles.

«Des particules semi-spirituelles imprègnent l'ensemble de l'univers. Ces particules existent dans une goutte d'eau, dans un courant d'air, dans les roches, les arbres, les cours d'eau.»

L'esprit se trouve donc au sein de la matière sous la forme de ces particules semi-spirituelles qui «sont élusives et ne suivent pas les lois physiques et matérielles …

Elles possèdent des densités différentes, et on les retrouve aussi bien dans les étoiles que dans l'air, l'eau ou tout type de vie naturelle … animale, végétale ou minérale.» (3)

Dans la composition d'organismes complexes, nous observons que des cellules forment des organes, et ceux-ci des systèmes, et enfin un être complet.

Il en va de même dans le domaine spirituel, il y a des entités de base, puis des entités secondaires et ensuite d'autres plus élevées, qui composent par exemple une personne. C'est-à-dire des millions d'éléments spirituels qui existent au sein des éléments physiques et maintiennent leur apparence externe.

Il n'y a rien de physique qui ne soit pas spirituel.

Un peuplier est différent d'un palmier, un bout de fer est différent d'un morceau de cuivre. Ces différences ressortent à des qualités inhérentes à l'essence de ces objets.

L'activité de l'esprit dans la matière

L'observation de la vie montre que tous les phénomènes vivants utilisent de l'esprit, et même fabriquent de l'esprit, des processus intelligents. C'est l'essence spirituelle dans la matière qui s'active pour créer une évolution intelligente.

Il existe des niveaux d'activité mentale à tous les échelons de la vie, dans les systèmes complexes biologiques, écologiques et sociaux. Ces processus mentaux se trouvent également dans les divers êtres, dans les cellules, les organes, et pas seulement dans le cerveau.

L'intelligence paraît dans les messages et l'organisation des systèmes complexes.

L'activité mentale existe donc en dehors des individus. Et le mental individuel se trouve intégré à des extensions mentales plus vastes.

Les ensembles mentaux représentent la dynamique par laquelle les organismes se forment. C'est l'association de ces activités intelligentes à plusieurs niveaux différents qui ont fait apparaître les formes de vie harmonieuses.

La terre elle-même possède son propre système mental qui s'intègre dans d'autres ensembles plus vastes. La planète forme un ensemble vivant, un organisme propre doté de son processus mental. L'atmosphère, les forêts, les océans, les climats … forment autant de sous-systèmes intégrés grâce auxquels elle peut créer et maintenir un environnement favorable à la vie.

Les sages savent depuis longtemps que tous les phénomènes sont reliés entre eux et que tous dépendent de connexions invisibles, intelligentes :

« L'interdépendance est une loi fondamentale de la nature. Les formes de vie les plus élevées aussi bien que de nombreux petits insectes sont des êtres sociaux qui, sans aucune religion, loi, ni éducation survivent grâce à leur coopération mutuelle basée sur un sens inné de leurs interrelations. À leur niveau le plus subtil, les phénomènes matériels sont également régis par l'interdépendance. L'ensemble des phénomènes, depuis la planète que nous habitons jusqu'aux océans, aux nuages, aux forêts et aux fleurs qui nous entourent ne peuvent pas apparaître sans dépendre de subtils rapports d'énergie. En l'absence d'une interaction appropriée, ils se dissolvent et se décomposent. » (4)

Jusqu'à présent nous ne voyions que des objets, des fourmis, des organes séparés, alors que maintenant nous comprenons que leur fonctionnement dépend de rapports qui sont justement invisibles et qui sont gérés par leur essence interne subtile.

Dire que l'esprit crée la matière prête à confusion, puisque nous venons de dire qu'il y a de l'esprit mental qui est issu de la matière. Il faut donc mettre les choses au point, car nous observons que l'activité mentale, la « mentation » est une propriété des êtres vivants.

Le processus de création d'une activité intelligente est un processus de pensée, une activité mentale dans laquelle les êtres pensent, ils fabriquent de l'esprit, de l'intelligence, et on peut donc dire que l'esprit mental est dérivé de la matière.

Il y a donc une précision à apporter par rapport aux déclarations selon lesquelles « l'esprit crée la matière. »

Il faut distinguer l'esprit mental terrestre, l'activité intelligente dans les modes d'évolution et d'adaptation d'une part, et d'autre part, l'esprit céleste.

Celui-ci est l'esprit de l'univers, de l'Origine subtile. On l'appelle aussi esprit originel, c'est l'esprit céleste qui n'est lié à aucune forme. Dans cette fonction là, on doit bien dire que c'est l'esprit qui crée et soutient la matière. Il peut être présent dans la forme, mais c'est une réalité différente de l'esprit mental terrestre.

L'esprit dans la créature humaine

Ici pas besoin d'aller consulter des devins pour savoir, nous pouvons constater par nous-mêmes ce que nous sommes. Nous pouvons constater par nous-mêmes que nous avons un corps, un esprit et qu'en plus, nous sommes vivants.

On retrouve ici la projection des trois aspects de l'Unité originelle, c'est-à-dire l'esprit originel, l'énergie vitale et l'essence de la forme.

Nous sommes nous-mêmes une trinité, le reflet de la Trinité dans l'Unité originelle. Les créatures vivantes de l'univers sont la matérialisation et la multiplication de l'entité originelle, la réplique en milliards d'exemplaires du modèle original, comme la multiplication du même motif d'une image fractale.

Le corps

L'essence (= l'énergie) qui forme le corps, qui est celle qui crée les formes et objets, est héritée des parents. Elle s'exprime dans le code génétique, mais aussi l'énergie sexuelle. Elle se trouve partout dans le corps, dans chaque cellule.

Le corps produit son énergie, par les connexions nerveuses, la force musculaire, les sécrétions des glandes. Mais l'énergie vitale est tout autre : elle est une force subtile invisible, impalpable. L'énergie vitale est ce qui anime la matière dont nous sommes faits. Elle assure le fonctionnement du corps et des organes. Notre corps n'est pas entièrement matériel, il comprend des particules semi-spirituelles.

Nous en avons déjà parlé en disant qu'elles sont élusives et échappent aux lois matérielles. Eh bien, ce sont elles qui font la jonction entre l'esprit et la matière. Ce sont elles qui nous composent, et plus précisément, elles composent notre mental.

Nous venons de franchir le pas entre le corps et le mental.

Les particules semi-spirituelles sont la fondation du mental. Il est donc absurde de présenter l'esprit mental et le corps comme deux aspects séparés, car les deux existent ensemble, en continuation l'un de l'autre.

Le mental

Tout être vivant, même au niveau animal, possède trois aspects : une forme matérielle, un niveau mental contenant du désir et de la conscience, ce niveau est mi-matériel et mi-spirituel, et enfin un aspect entièrement spirituel et dépourvu de toute matérialité.

Telle est la composition de la créature humaine.

Les particules semi-spirituelles sont le niveau mental, elles constituent des 'âmes' dans notre corps, qui sont inséparables de l'énergie vitale, et qui sont notre fonction mentale, car ce sont elles qui sont capables de pensée, de sensation, d'émotion, etc.

Voilà ce qu'est notre **mental**, c'est à dire notre esprit ordinaire de la vie de tous les jours. C'est de l'esprit terrestre peut-on dire. Il contient tout ce que nous devons apprendre dans notre vie terrestre.

Il se forme après la naissance.

C'est l'esprit conceptuel, celui de la réflexion, c'est-à-dire qu'il utilise des mots, et donc qu'il appartient au monde des choses ayant une forme. (5)

Cet esprit mental est constitué de nombreuses activités : l'émotion, l'imagination, la mémoire, la pensée (réflexion,) l'intelligence, les idées, le sommeil, la connaissance. Il joue aussi son rôle dans les sens ; l'ouïe, la vue, le toucher, le goût et l'odorat. En fait, on dit qu'il est un sixième sens.

Il est aussi la manifestation de la conscience de soi.

En résumé, notre esprit mental, terrestre, compose notre personnalité : l'ego, nos sensations, nos émotions, nos pensées. (6)

L'esprit originel

Nous sommes décidément une créature complexe. Créature dotée d'un esprit mental inné dans le corps, mais dotée aussi d'un esprit céleste qui habite dans l'esprit mental de la même manière que celui-ci habite dans le corps.

Cet esprit céleste, ce qui signifie qu'il existait avant la naissance, est une étincelle de conscience qui perdure après notre mort.

Il habite dans le mental, tout comme le mental réside dans le corps.

Il s'agit ici de l'esprit pur, qui est essentiellement de la conscience céleste, c'est l'esprit originel, qui provient de l'unité primitive.

C'est l'esprit intuitif, qui agit sans aucun concept. Il possède toute connaissance dans l'immédiat. C'est un phénomène sans réalité matérielle, sans substance, sans forme, et pourtant c'est notre présence. C'est l'esprit qui se manifeste sans se manifester, comme une vacuité, un vide qui n'est pas le néant, et que les sages rejoignent dans leur méditation, car ils savent que c'est notre nature profonde, l'être fondamental.

C'est de celui-là qu'il s'agit quand on entend dire : « toute chose est précédée par l'esprit, conduite par l'esprit, créée par l'esprit. » Ou bien : « L'esprit humain est une extension du ciel. La nature humaine est la nature céleste. »

Conclusion

L'identification des énergies et la place de la créature humaine dans l'univers ne sont pas des spéculations métaphysiques hasardeuses. Elle sont le fruit d'une minutieuse et patiente observation au cours des âges. Du reste, cette connaissance abstraite de la nature trouve une pleine et entière justification dans l'application pratique qui en est faite : c'est la médecine traditionnelle, qui est fondée sur ces principes, et dont l'efficacité et les succès ne sont plus à démontrer. Des résultats tels que ceux que donnent la pharmacopée traditionnelle ou l'anesthésie acupuncturale sont suffisants pour justifier sa validité.

Si nous expliquions à un homme du Moyen-Âge qu'un fil électrique est parcouru par un courant invisible, il crierait au Diable et nous dénoncerait à l'inquisition. Si nous racontions aux savants de l'Âge des Lumières que des corps peuvent émettre des radiations invisibles ou qu'une machine peut compter mille fois plus vite qu'un mathématicien, ils en feraient des gorges chaudes et seraient ravis de se répéter une aussi bonne blague. Nous sommes dans la même situation si nous sommes incapables de concevoir l'existence d'entités spirituelles autour de nous, d'un monde invisible parallèle au nôtre. Mais il ne faut pas désespérer d'y avoir accès, dans cette vie ou dans une autre.

Toute chose arrive en son temps.

13. Entre Ciel et Terre

La créature humaine se situe donc entre ciel et terre (entre esprit et matière.) Elle incorpore les deux aspects tout en se situant entre les deux. C'est une position très inconfortable, qui représente une incitation à mieux se replacer. Si nous étions entièrement des créatures célestes, nous serions des anges, ou des dieux, entièrement libres. Si nous n'étions que des créatures terrestres, nous serions réduits comme les animaux à suivre aveuglément notre destin biologique sans nous soucier de rien.

La créature humaine est placée entre le bonheur et la douleur, dans un monde d'imperfection et d'incertitude. Elle est donc naturellement mue par une pulsion à trouver une voie hors du mal-être, elle cherche la sortie hors de ses conflits et contradictions. Elle est naturellement poussée à chercher un sens à la souffrance, la comprendre pour s'en débarrasser. La souffrance est une indication qu'il doit exister autre chose que la souffrance. La fragilité du bonheur est une indication qu'il doit exister autre chose que l'éphémère.

Tout ce qui s'acquiert peut se perdre, nous craignons de perdre toujours plus. Nous sommes toujours en train de gagner ou de perdre dans tous les domaines : affectif, professionnel, intellectuel, matériel, spirituel.

Aspects de la dualité

La dualité est au fondement même de notre univers, elle existe déjà avant même toute manifestation perceptible.

Il n'y a pas de manifestation sans polarisation. Nous avons observé que tout dans l'univers existe en rapports de contraste : le long se définit par rapport au court, mais les deux ensemble forment donc une unité de conception dans laquelle les deux aspects coexistent. Il en est de même pour tout ce que nous percevons : le lourd et le léger, le jour et la nuit, le féminin et le masculin, la droite et la gauche, le chaud et le froid...L'univers est composé d'aspects duels.

Tout l'univers se manifeste sur un mode bipolaire : l'être et le néant, le visible et l'invisible, le ciel et la terre, le temps et l'espace, l'esprit et la matière, le bien et le mal, la lumière et l'obscurité, etc. Les énergies qui s'expriment ainsi ne sont pas neutres, mais sont toutes régies par deux principes opposés et complémentaires qui se réalisent mutuellement et se déclinent en d'infinies gradations nuancées.

Comment fonctionne la dualité

Elle est créée par le mouvement, celui-ci engendre un aspect, par exemple positif, qui sera suivi de l'aspect opposé, par exemple négatif (négatif n'a pas ici de signification péjorative, il s'agit simplement de l'indication d'une qualité complémentaire opposée) et ensuite le mouvement reviendra sur l'aspect positif, et ainsi de suite.

Toute chose, pensée, ou évènement, passe par les phases de début, réalisation, incident possible, suite et fin, c'est un cycle. On comprend donc que la manifestation se produit en cycle.

Une bonne illustration est le cycle des saisons qui passe par quatre expressions opposées deux à deux, la croissance, la plénitude, la régression et la pause, que ce soit pour les flux de lumière, de chaleur ou de végétation. On pourrait dire deux saisons d'expansion et deux saisons de régression. Ainsi vont les cycles de la journée, de la vie humaine, et tous les cycles inscrits dans le temps et dans l'espace. On y trouve les quatre forces fondamentales du monde, plus la cinquième qui les réunit, induit leur transformation et les tient en équilibre.

Donc le mouvement crée d'un côté en défaisant de l'autre pour recréer ensuite, c'est le mouvement qui exprime la vie, mais il se fait dans la transformation cohérente, comme une quête constante d'équilibre, un maintien constant d'équilibre dans le changement.

Pour les sages ce fonctionnement harmonieux démontre une vertu inhérente à l'univers. Ils disent que la vertu de l'univers se manifeste dans sa constance. En l'absence de cette admirable constance, l'univers serait réduit à une confusion inopérante. Tous les phénomènes sont en transformation continue, mais cette ronde permanente se passe dans une stabilité dynamique.

Nous avons là le principe le plus fondamental de l'univers, qui est celui de l'équilibre.

De façon plus précise, comment se crée l'accord entre les polarités ? L'équilibre se fait grâce à l'énergie originelle, qui est neutre. Elle est l'ensemble d'où surgissent les polarités, elle tient ensemble les contraires, elle est aussi le champ sur lequel se passe leur transformation, elle est l'agent de transformation qui permet leur changement.

La plus fine compréhension de la polarisation révèle que celle-ci n'est pas un conflit entre deux forces. La polarité contraire se produit pour s'opposer à la première, en lui résistant, afin de lui permettre de se renouveler. En fait c'est lui permettre de faire une pause, de se renforcer avant de repartir. C'est dire que la polarité opposée est en réalité la même que la première, mais dans une phase de renouvellement, de régénération. C'est dire que le cœur même de l'univers n'est pas fondé sur deux forces en conflit, mais une seule en mouvement.

Suivre ce principe d'équilibre et d'intégration est aussi la meilleure gouverne que nous puissions trouver pour diriger nos existences.

Nous adapter à notre monde

Pour nous humains, la tâche de bien nous adapter n'est pas facile.

D'abord parce que le monde n'a pas été créé pour nous. L'énergie créatrice crée en toute abondance et en toute diversité, mais la création inclut des choses qui ne sont pas bonnes du tout pour nous. La force créatrice crée de façon neutre, sans discrimination, et sans penser à nous. Les serpents, les microbes, les tsunamis, les coups du sort font partie du tableau, et de même nos impulsions les plus viles proviennent de la même source.

Nous adapter est difficile aussi parce que nous sommes éloignés de l'Origine. À mesure que l'énergie créatrice s'éloigne de sa source ses vibrations ralentissent, elles passent depuis les zones spirituelles subtiles jusque dans la lourdeur du concret, les contrastes opposés aussi s'alourdissent et s'aggravent. Notre monde à nous est celui où la polarisation est devenue extrême. Nous avons la tête dans le ciel, mais les pieds dans le béton.

Comment gérer la dualité

Notre milieu nous apprend naturellement comment faire. Si nous savons observer comment les contraires s'équilibrent, comment fonctionnent les cycles, nous pouvons tirer notre épingle du jeu et nous inscrire dans ce mouvement, le suivre au lieu de le subir ou de s'y opposer, en faire une danse au lieu d'un combat.

Le mouvement des polarités opposées forme une ronde qui intègre les deux. Le mouvement de l'univers est intégrateur, en même temps qu'il sépare, il réunit. C'est une leçon que nous devons y apprendre pour nous adapter : notre adaptation doit consister en une intégration.

Qu'est ce qui fait que les évènements prennent mauvaise tournure ? Qu'est ce qui fait que ça bloque ? Qu'est-ce qui fait que le déroulement cohérent devienne un conflit ? Dans tous les cas, c'est un arrêt, ou un excès, ou un manque, qui entrave le déroulement de la vie heureuse, même dans les incidents les plus modestes.

Armons-nous de courage un petit moment pour nous regarder en face :

Dans le niveau matériel de la vie, nos désirs prennent souvent la forme d'un excès. Ce moi qui n'est jamais satisfait, en état permanent de manque et de besoin. C'est le besoin de plaisir, le désir de jouissance, de puissance, de renommée, de possession, de descendance. La facilité à tout se permettre.

À lui seul, cet état mental écrit les principales pages de notre vie, car le désir d'assouvissement de l'ego ne cède pas, et donc il nous conduit vers toutes nos frustrations.

Si nous passons au niveau social de l'existence, il est évident que nos dispositions premières nous conduisent vers d'inéluctables conflits. Nous risquons rapidement de passer au rejet d'autrui. Ce rejet se manifeste dans l'antagonisme, le ressentiment, la colère, l'irritabilité, le désir de vengeance ou de persécution, et autres détails.

Au troisième degré de la personne, qui est intellectuel et culturel, le risque est le manque de perception consciente. Celui-ci est un voile invisible mais efficace pour truquer ce que nous percevons. Cela implique que nous risquons de ne pas toujours voir les choses comme elles sont. Le prisme du moi à travers lequel nous regardons les choses peut les déformer et nous donner une fausse image.

Nous risquons de ne pas voir clairement ce qui se présente, et de former des vues qui seraient fausses au-delà de tout doute. Ce troisième état d'esprit est donc l'ignorance sur les sujets fondamentaux, et le risque de confusion mentale. Cela peut se développer en vanité, en esprit rigide, en préjugés, en dogmatisme, en fanatisme, en toutes sortes d'aveuglements qui s'ignorent eux-mêmes.

Ainsi les dangers qui causent notre malheur ont un dénominateur commun : tous sont le résultat de l'excès personnel. L'excès d'une polarité implique un manque dans l'autre. Ici nous sommes au niveau où c'est nous qui décidons de notre attitude. Vivre en cultivant un excès est une conduite de dissociation, de blocage, qui mène à l'échec douloureux.

Au contraire, si nous nous regardons du côté soleil, ce qui fleurit alors dans la lumière, c'est la générosité, le partage, la renonciation, la compassion, la coopération, l'amabilité, le pardon, la tolérance, le respect, la patience, l'humilité, l'équanimité, la confiance, l'honnêteté, le courage, l'impartialité, la fidélité ...

Il y a encore en nous beaucoup d'autres qualités, mais mieux vaut arrêter là, par modestie.

Il est remarquable que les qualités de cette longue liste reposent sur un principe commun : toutes sont le résultat de la recherche d'équilibre. Une conduite d'intégration, qui dépasse consciemment la bulle de l'autocentrisme. Un retour à la norme de cycles cohérents, de cheminement normal.

Le clash avec le monde. L'interne et l'externe

Nous vivons dans un monde qui nous paraît hautement imparfait. On ne peut pas rêver bien longtemps de garder une sereine positivité quand on est en contact avec le monde.

Pour faire face aux difficultés de l'existence, la bonne méthode est de faire la différence entre les évènements qui sont extérieurs à soi, et ce que doit être notre climat interne. Savoir conserver la paix et la positivité intérieures lorsque les circonstances externes sont difficiles, c'est tout l'art de vivre et il faut toute la durée de l'existence pour l'apprendre pleinement. Apprendre à relativiser les maux qui nous atteignent, à se distancier des difficultés tout en gardant l'équilibre.

La plupart des choses qui nous paraissent très malheureuses finissent par passer et souvent disparaissent d'elles-mêmes. Beaucoup de choses qui nous paraissent très malheureuses se révèlent parfois moins graves que prévu. Bien de choses qui nous gênent peuvent être utiles sans qu'on s'en rende compte.

Les sages disent qu'accepter la douleur, affronter les ennuis honnêtement, accepter les situations difficiles sans se plaindre renforce l'énergie de l'âme … Mais bon, on n'a pas le choix.

Nous sommes tous le pauvre Job un jour où l'autre.

Dans les coups durs, les évènements tragiques ou douloureux, la meilleure attitude reste le calme.

Rester en contact avec la nature profonde, rester perceptif, voir l'ensemble de la situation, conserver l'équilibre, ne pas chercher les positions extrêmes.

Une consolation que nous avons est de savoir que nos malheurs et difficultés de la vie ne dépassent pas 20% environ de notre vécu dans une moyenne générale et dans une situation ordinaire, sans karma excessif.

14. La loi de réponse de l'énergie

Incroyable, mais vrai :

Il y a de la vertu dans l'univers, en dehors de nous-mêmes.

L'abondance et la variété du milieu de vie sont des bénédictions, de même que la beauté des spectacles naturels. Il y a là des qualités vibratoires qui correspondent aux nôtres.

La communication aimable, l'acceptation, l'ouverture, la droiture, la constance sont des qualités humaines, mais elles ne sont pas étrangères au milieu environnant dans lequel elles apparaissent. Elles ont leur équivalent analogique dans les énergies qui composent notre univers.

Les réalités du monde physique témoignent des réalités spirituelles invisibles. Elles en sont l'expression externe. Mais notre contenu spirituel correspond également à la sphère spirituelle universelle dont il n'est pas séparé.

Mettons en rapport le principe d'harmonie de l'univers, c'est-à-dire l'équilibre, avec les observations précédentes sur la psyché humaine : les défauts qui sont la cause de nos malheurs proviennent de l'excès, tandis que les qualités qui font notre bonheur sont fondées dans l'équilibre.

C'est dire que même nos comportements moraux sont soumis aux normes du monde. Ils en suivent la même loi.

Par conséquent, nous ne devons pas nous étonner qu'il y ait des correspondances entre nos valeurs spirituelles et les qualités de l'univers.

La psyché est reliée au monde spirituel. Il y a de la vertu dans l'univers qui correspond à nos propres qualités. Ce n'est pas nous qui projetons nos idées sur le milieu externe. C'est que la nature profonde de ce milieu est la même que la nôtre.

Les qualités de l'univers émanent de sa nature spirituelle. Notre nature spirituelle est la même que celle de l'univers. Les valeurs du beau, du bien, du vrai, du sacré sont déjà présentes dans la force créatrice du monde, ce n'est pas nous qui les y mettons, c'est nous qui les recevons.

Ces correspondances ne sont pas émotives ni sentimentales; la sentimentalité appartient seulement à la sphère humaine. Le Ciel et la Terre ne font pas de sentiment.

Ces correspondances sont aussi réelles au niveau mental qu'au niveau physique, elles réagissent à nos actes et à nos pensées.

Cette vérité se nomme la loi de réponse de l'énergie.

La loi de réponse (ou d'attraction) de l'énergie

La loi de réaction de l'énergie est un principe spirituel universel disant que toute énergie attire une énergie identique.

Un comportement qui est positif attire de bons amis et une vie de bonne qualité, un comportement négatif attire des relations hostiles et du danger.

Si nous donnons un sourire, nous recevons un sourire, si nous faisons de mauvais coups, nous recevons des mauvais coups. Cela est évident dans notre entourage, mais cela est aussi vrai dans tout l'univers.

L'univers est doté d'une énergie mentale universelle et

par conséquent l'univers est réactif. Il l'est au niveau matériel, par exemple, si nous recevons une brique sur la tête, il y a des conséquences. Mais cela est aussi vrai au niveau spirituel, c'est-à-dire moral. C'est la même loi de cause à effet.

Toute énergie que nous portons comporte une fréquence vibratoire particulière qui réagit à des énergies de même fréquence et les attire. C'est la loi de cause à effet, soigneusement explicitée dans certaines traditions sous le nom de Karma. (1)

Un principe ancien à redécouvrir

Voici en résumé comment un petit livret (intitulé : *Mieux vaut marcher droit*) dispensait cet enseignement traditionnel il y a un millier d'années.

« Les bienfaits ou les calamités ne proviennent pas de circonstances externes. Au contraire, ils proviennent d'une réaction de l'énergie subtile universelle envers l'énergie que la personne projette. On se récompense par sa propre bienveillance, et on se punit soi-même par sa propre malveillance.

Ce qui se produit dans l'existence exprime l'énergie que l'on incarne, tout comme l'ombre reproduit la forme du corps. La réponse de l'énergie universelle est directe et sans intermédiaire. Chaque cause produit son effet, et chaque action sa conséquence.

L'univers est fondé sur ce principe que tout se tient, dans notre monde et jusque dans l'autre. L'énergie subtile universelle ne répond pas toujours dans l'immédiat, mais nous récoltons inévitablement les conséquences de nos actes.

Souvent il semble que la chance sourit à des êtres mauvais,

mais on peut dire avec certitude que cette faveur est illusoire, aussi bien pour les individus que pour les nations. Ceux qui font le mal blessent leur âme spirituelle, ils sont comme de papillons qui se précipitent vers une flamme et y meurent. Ceux qui ignorent la morale humaine voient se réaliser leur propre condamnation, ils suscitent dans leur environnement externe des forces contraires qui se dressent contre eux.

Si les actes immoraux ne sont pas rachetés au cours d'une existence, les descendants en subiront les conséquences, car ils sont le prolongement de la vie physique de leurs auteurs. À elle seule, l'intention de mal agir entraîne des conséquences néfastes.

L'énergie subtile universelle se manifeste à la fois au niveau subtil et au niveau grossier. La forme grossière est l'énergie physique tandis que l'énergie subtile devient l'être spirituel.

Le vaste univers évolue et se multiplie sans jamais perdre sa cohérence avec la loi subtile universelle.

Les humains se multiplient, mais ils s'égarent dans des poursuites multiples. Ils perdent l'harmonie de leur être véritable en s'engageant beaucoup trop envers les attraits du monde externe jusqu'à être entièrement happés par ce monde externe.

Ils se trouvent finalement pris dans une vision dualiste de la vie qui les enferme dans un cycle de lutte perpétuelle.

Chaque être humain est l'incarnation de l'ensemble de ses actes. Sa personnalité réelle ne peut pas être contrefaite, elle ne peut pas être portée et rejetée comme un vêtement selon le besoin de la situation. Le corps, le mental et les émotions sont les apparences externes de la personne, et non pas sa nature véritable. Tant qu'une personne n'est pas développée spirituellement, elle s'attache aux choses et aux apparences, elle s'en remet aux conduites et attitudes mentales acquises à partir du milieu externe.

Se développer et se discipliner signifient maîtriser et gérer sa destinée, et jouir d'un bien-être véritable.

Ceux qui dévient de la nature universelle ne respectent pas la vie des autres. Ils traitent les autres par la force, avec injustice et violence, en poursuivant exclusivement leur intérêts égoïstes. Ils usent de malhonnêteté et de manipulation dans leurs affaires. Ils n'aident pas ceux qui sont faibles et nécessiteux, ils négligent leurs devoirs et n'ont point de gratitude.

Ils trahissent donc la Voie Éternelle Universelle, l'arbitre subtil de la destinée humaine qui habite en eux et qui leur inflige leur châtiment. Ils sont la proie de troubles physiques, affectifs, mentaux et spirituels. Ils sacrifient leur bonheur à cause des torts qu'ils causent, que ces torts aient été pleinement intentionnels ou non. Le bonheur que chaque personne connaît dans sa vie dépend de ses attitudes, mais elle subit une auto punition proportionnelle au mal qui est fait, ce qui dissipe rapidement son énergie vitale positive.

Ceux qui souhaitent une vie heureuse sur terre n'ont pas besoin de faire spécialement preuve de bonté ; ils reçoivent plutôt leur récompense pour n'être pas sans bonté. De même, ceux qui aspirent à l'immortalité divine n'ont pas besoin de pratiquer des vertus particulières, car ils peuvent réaliser l'immortalité par la vertu d'un mode de vie ordinaire et normal. La vertu est une qualité inhérente à l'humanité. Elle n'est pas simplement une démonstration externe de bienveillance.

Pratiquer la vertu signifie être absolument vertueux. Si notre sens moral n'est pas en harmonie avec notre être réel, cette distorsion apparaîtra dans notre vie … Ce n'est qu'en se transformant en un être d'une vertu absolue que l'on peut réaliser la vie immortelle. » (2)

Ces principes sont difficiles à avaler et totalement indigestes pour nous, parce que nous avons une conception morcelée de notre existence, qui ne nous permet pas de percevoir les liens et les réactions existant entre tous les êtres et tous les niveaux de l'être. Nous croyons que nous pouvons faire notre petite cuisine dans un coin, que nous pouvons tricher quand ça ne se voit pas et que tout ira bien. Mais ensuite, quand un malheur arrive, on s'en prend au manque de chance.

Nous ne nous rendons pas compte que nous sommes inclus dans un champ d'énergie universel et que les vibrations que nos actes et nos pensées émettent s'y répercutent et nous renvoient à plus ou moins longue échéance des conséquences de même qualité.

On pourrait aussi s'écrier : « Mais alors, le Ciel est fasciste ! Dieu est fasciste ! Il impose une loi inéluctable qui nous prive de liberté et d'autonomie ! Nous devons vivre sous la contrainte permanente ! Cette loi est une camisole de force ! »

Pas vraiment. Cette vérité sur notre monde diminue simplement notre liberté de mal faire, c'est-à-dire notre liberté de nous dégrader ou de nous détruire. Mais on peut toujours choisir de faire autrement, c'est pourquoi il y a tant de variété morale chez nos congénères, et tant de destins différents.

Nous avons toute latitude de développer notre potentiel positivement ou négativement, ou entre les deux. Nous sommes dans une position qui met en jeu librement notre responsabilité.

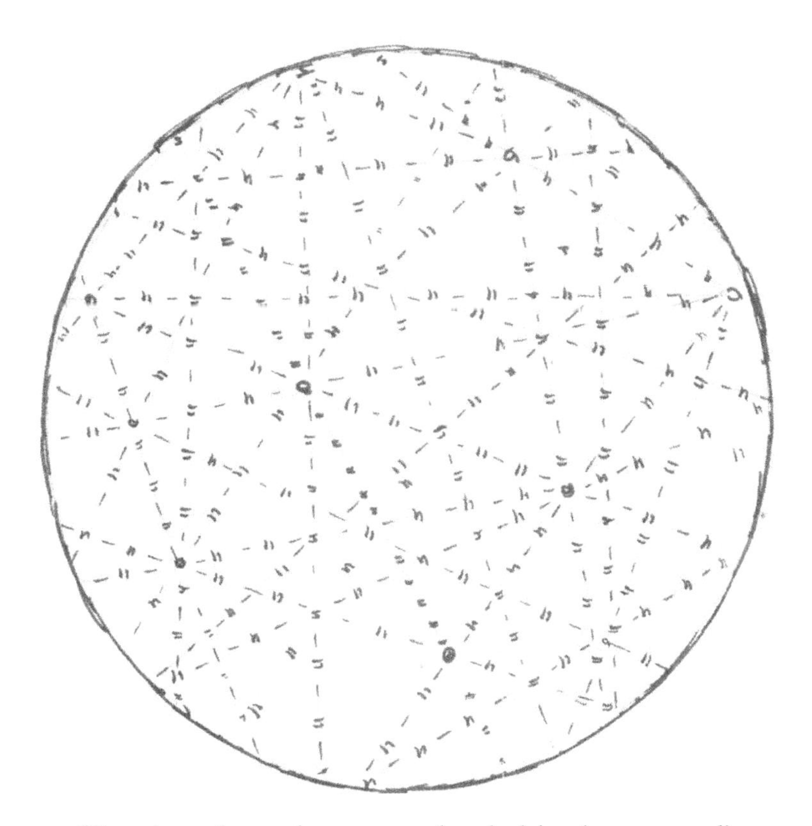

C'est la même chose que de choisir de sauter d'une fenêtre élevée, ou d'avoir la sagesse de ne pas sauter. La loi subtile joue, qu'on la voit ou non, qu'on y croit ou non. Elle nous indique surtout que ce que nous perdons et ce que nous gagnons provient de nos actes à court terme et à long terme.

Nous ne dépendons pas d'un Dieu personnel qui affirme des préférences. Il n'y a pas de déité vengeresse ou persécutrice, l'énergie originelle est neutre, les réactions sont donc d'une impartialité absolue.

L'énergie qui régit l'univers n'intervient pas dans les affaires des humains, elle ne fait que transmettre les courants qui y passent. Il s'agit plutôt d'une réaction naturelle, comme l'apparition d'harmoniques qui accompagnent un son musical, ou la réplique de l'écho des montagnes. (3) Cette loi de réponse énergétique n'est liée à aucun code de morale sociale.

Son impartialité impersonnelle peut être redoutable pour des humains. Prenons pour exemple un peuple qui serait très religieux et spirituel, respectueux des meilleurs principes de pacifisme, de tolérance, de justice, de compréhension, de respect d'autrui, de bon vouloir, etc.

La réponse naturelle fera que ce peuple sera estimé, admiré et soutenu par ses frères humains. Mais si ce peuple porte dans ses croyances l'idée que l'existence sur cette terre est une illusion, et qu'en plus ici bas tout est souffrance, il y aura une réaction dans ce sens lorsque les circonstances auront mûri et le permettront.

Ce peuple si respecté connaîtra des tragédies effroyables et risquera de disparaître un jour dans des circonstances qui se matérialisent brutalement et de façon imprévisible après des millénaires.

Si on a toujours à l'esprit que notre monde est une vallée de larmes, que tout est souffrance ici-bas, notre existence deviendra ce que nous projetons, nous aurons moins de chances d'atteindre un bonheur raisonnable sur terre.

Ce que nous portons en nous entraîne des conséquences correspondantes pour qui que ce soit. Le Ciel n'a de préférence particulière pour aucune personne ni aucun groupe. Sa réaction est d'une impartialité absolue, sans sentiment, étrangère à toute émotion; elle est aussi inéluctable que précise.

Inversement, la connaissance de la loi subtile peut servir en grande partie d'assurance pour se protéger contre les malheurs de l'existence, et même contre les calamités naturelles.

Comment perçoit-on cette loi subtile de l'univers ?

C'est par l'interprétation appropriée des évènements de notre propre expérience, et en analysant les exemples dont nous sommes témoins par ailleurs.

La loi subtile s'exprime sans paroles, elle parle au moyen de signes subtils. Un esprit tranquille, calme et objectif peut parvenir à lire ces signes et s'aider ainsi à déterminer sa conduite et ses décisions. C'est l'apprentissage le plus important que nous ayons à faire.

Si une conscience individuelle n'est chargée d'aucun obstacle, elle peut saisir la présence de la loi subtile sans même la rechercher. Chez les personnes dont la nature est assez pure la compréhension de cette loi est innée, elle fait partie de leur esprit mental.

En effet, le mental est l'organe établissant le lien avec le monde spirituel qui transcende la réalité matérielle. Il peut agir avec une extrême précision, et il est capable de comprendre spontanément des choses dont on n'a pas fait l'expérience.

Par contre, les personnes qui ne suivent aucun développement personnel ne peuvent pratiquement pas saisir cette vérité, car leurs pulsions physiques sont trop fortes, et elles effacent les communications spirituelles. Celles-ci ne sont qu'une « petite voix. »

Motivation

Il faut donc bien se résoudre à progresser et ainsi éviter les graves problèmes qui sont produits par notre propre sous-développement spirituel.

La motivation est bien simple : nous devons évoluer pour notre propre bien. Lorsque quelqu'un parvient à réaliser complètement son évolution, il s'inscrit naturellement dans l'ordre normal du monde et bénéficie alors d'avantages définis, et notamment : la santé, la longévité, la prospérité, la vie dans la vertu, ainsi qu'une mort naturelle.

N'est-ce pas suffisant pour vouloir entreprendre son développement personnel ?

Évidemment, tous ces bénéfices n'arrivent pas en masse et pour tous. Il faut tenir compte du point à partir duquel on démarre. Certains ont une configuration astrologique, ou un passé karmique qui peuvent apporter des déboires, mais qui peuvent néanmoins être bien améliorés. Le karma n'est pas une condamnation, on peut le transformer par nos actions, on peut en faire un bon karma.

Et puis la route est longue. Si vous voulez rattraper dans une seule vie plusieurs siècles d'existences successives, il faut du temps. Le changement lui-même est difficile à déterminer, un peu comme la pousse d'une feuille au printemps, elle se poursuit de façon imperceptible jusqu'à ce qu'elle soit entièrement épanouie.

Ce que l'on reçoit est imperceptible et se produit en dehors de tout contrôle de notre part. C'est un processus naturel qui s'effectue de lui-même, à condition qu'on le mette en route et qu'on le maintienne.

Mais sur ce chemin, aucun investissement n'est vain.

Si on décide de se mettre en chemin et de partir sur la

voie, il y aura des hauts et des bas, des moments de joie ou des déceptions et découragements, et on ne saura pas trop combien on a progressé, mais quand même, en regardant derrière soi, on verra au bout de quelque temps que l'on n'est plus tout à fait le même.

On est devenu plus tolérant, plus compréhensif, moins coléreux, plus aimable, plus sociable etc. Et le tableau général de l'existence s'éclaire peu à peu.

On tient une humeur plus positive, on ressent plus de bonheur immotivé et fondamental, on réussit mieux, on a parfois plus de chance, on devient capable d'améliorer lentement son destin, même s'il reste, et s'il restera toujours jusqu'au dernier jour, des difficultés liées à ce monde.

On peut aussi faire le choix opposé, et continuer dans les tracas, les frustrations, les ambitions, les malheurs petits et grands. Alors tournez vous vers ceux qui travaillent à leur développement personnel, et observez comment ils se débrouillent mieux. Dans les deux cas, on peut faire la preuve.

15. Le mysticisme

Le point critique

Les humains qui se donnent la peine de réfléchir objectivement et sans passion se rendent compte que nous sommes parvenus à un point critique absolu.

Notre façon de vivre n'est pas la bonne. Nous accumulons des problèmes sans solutions en vue, c'est le signe certain que nous ne sommes pas sur la bonne voie : car nous ne voyons jamais arriver un monde stable dans une harmonie dynamique, dans lequel tout irait pour le mieux, bien au contraire.

Notre façon de vivre semble conduire tout droit à une chute de l'humanité, c'est-à-dire à une farouche compétition sociale, à une vie de malaise et de confusion et finalement à des périls que l'humanité deviendra incapable de gérer et maîtriser.

Il a été dit que lorsque nous verrons s'approcher de vastes catastrophes, il se développera finalement une perception consciente plus large chez les personnes et dans la société.

Il est probable que ce moment est déjà arrivé, sinon, il n'est pas très loin.

Que révèlent nos malheurs ?

En quelques mots : la situation économique crée partout des inégalités insurmontables, elle nous conduit de crise en crise, elle engendre une misère qui se perpétue.

L'organisation politique consacre cet état de fait. Elle engendre une gestion politique qui perpétue les avantages acquis, et pour ce faire conduit les peuples en masses soumises qui n'ont pas l'éducation et l'information nécessaires pour gérer leur société de manière éclairée et démocratique. Le résultat conduit à une suite de guerres et de situations d'oppression.

Les idéologies religieuses enfin, qui pervertissent les messages spirituels pour des raisons d'ambition humaine mal placée et conduisent les peuples comme des troupeaux inconscients, vers des orientations funestes, vers une prolifération illimitée qui engendre des maux irrémédiables

Que révèle cet état de fait ? Ce que nous faisons, c'est ce que nous sommes. Tous les aspects de notre monde révèlent une disposition unique et constante, qui conduit directement à toutes les erreurs et tous les maux que nous engendrons : celle d'un égocentrisme, ou autocentrisme fondamental.

Cette qualité se justifie certainement dans une certaine mesure, et dans un certain temps, mais elle ne se justifie plus lorsque la dépendance inconsciente à des impulsions primitives atteint un point critique et risque de nous conduire en fin de compte vers notre propre élimination.

Notre caractéristique principale est que nous n'avons pas un mental suffisamment éveillé pour reconnaître quelle est la forme de développement qui nous manque.

Les problèmes externes sont issus de nos dispositions internes

Inutile d'aller couper le tête à nos dirigeants : ils sont la représentation de ce que nous sommes. C'est nous tous qui sommes en question.

C'est en résolvant les contradictions internes de la personne que seront résolues les contradictions externes qui sont sociales et politiques.

Les problèmes du monde sont une projection externe des dispositions internes des individus. Si nous étions suffisamment évolués, si nous pensions sur un registre universel, les problèmes du monde n'existeraient pas. Et nos problèmes internes non plus, tels que l'inquiétude, l'insatisfaction, les ambitions démesurées et l'ignorance qui s'ignore elle-même.

Nos problèmes proviennent de notre manque de développement spirituel. Nous nous fabriquons ces problèmes car nous vivons comme des animaux intelligents qui savent tirer tous les avantages vers eux-mêmes, quitte à déposséder autrui ou à dévaster le milieu de vie. Cet égocentrisme, c'est la marque de l'animal intelligent, qui sait tout bien faire pour son propre avantage, et se soucie peu des conséquences de ses agissements.

Nous sommes inconscients des problèmes créés

Nous n'avons pas conscience que nos pratiques devraient s'inscrire dans un ensemble cohérent plus vaste au-delà de nos aspirations individuelles. Il manque un degré à notre conscience.

Ce n'est pas du bon vouloir qui manque, c'est une

perception plus vaste et plus profonde. Au-delà de la bulle que forment nos besoins et notre vision raccourcie, il n'y a rien, c'est comme si nous marchions à l'aveuglette.

Nous sommes incapables de trouver des solutions aux problèmes que nous fabriquons. Certains penseurs, chercheurs et visionnaires suggèrent des solutions, mais il n'est pas possible de les mettre en pratique.

Ce qui nous manque, c'est une vision globale, la conscience élargie, c'est un niveau différent dans l'esprit.

Si l'intelligence s'exerce sans motivation spirituelle elle engendre des déséquilibres malsains dans le monde. Les philosophies, les idéologies et les technologies n'ont jamais résolu les problèmes du monde.

L'évolution de l'individu est indispensable

Le salut du monde se trouve dans le développement individuel des personnes. Dépasser la dépendance de la personnalité auto-centrée, pour s'ouvrir à une instance de conscience plus élevée. Sinon l'intelligence reste exclusivement au service des besoins primaires et le monde reste la proie de luttes et de contradictions.

Puisque nos problèmes viennent de nous-mêmes, c'est seulement une évolution interne qui nous permet de les dépasser.

Il ne peut pas y avoir de terme aux problèmes planétaires sans une évolution spirituelle des individus. Le bien de la planète et celui de la race humaine se confondent avec la découverte par les individus d'un degré différent de leur propre nature.

Cela signifie passer du stade d'animal intelligent à celui d'être humain intégralement évolué.

Quelle sorte d'animal sommes-nous ?

Un animal intelligent, assez dévastateur, à conscience limitée, incapable de se comprendre, incapable de donner un sens à sa destinée et à son action, voilà à peu près tout ce que nous savons sur nous.

Évoluer au-delà de la condition d'animal intelligent n'est plus une simple option amusante, c'est devenu une nécessité.

Nous devons trouver la voie qui permet de nous construire un avenir idéal, et nous devons la trouver par des moyens naturels, comme tout autre système vivant.

Chez l'animal, la conscience est fondue avec les besoins, les désirs, les gestes ou mouvements, les émotions. L'activité mentale est principalement une conscience réflexe.

Chez l'humain par contre, la conscience possède un degré de plus : celui qui permet de se distancier de soi, la conscience mentale n'est plus complètement intégrée dans ses désirs et ses pulsions, il peut les examiner avec recul, et exercer des choix. De même on peut examiner avec recul ce que l'on pense, notre mental peut générer de la pensée réflexive, et une volonté plus indépendante. L'homme est maître de sa pensée.

Le problème, c'est que nous avons même trop utilisé nos capacités intellectuelles. Nous avons tout misé sur l'excellent outil mental dont nous disposons, nous avons développé au maximum nos savoirs sans les contreparties éthiques ou spirituelles nécessaires.

Si nous ne développons aucune vision spirituelle, nous

n'utilisons qu'une partie de notre esprit, et nous aboutissons à des savoirs partiels, portés par des personnages demeurant incomplets.

C'est le défaut de la civilisation assez catastrophique que nous avons produite.

Le nœud de la crise :

Nos moyens intellectuels ne suffisent plus.

Le mental est un outil à double tranchant.

Notre mental est d'une part un extraordinaire outil de compréhension et d'adaptation. Il nous a donné les avancées scientifiques et culturelles qui font notre bonheur. Nous lui devons une excellente adaptation dans l'existence.

Ce sont aussi nos acquisitions de savoir qui forment notre conscience collective, notre amas de données au service de tous, individu et collectivité. Par exemple les réactions positives que nous avons maintenant envers la protection de l'environnement.

Par ailleurs, il est l'outil indispensable d'évolution, car c'est lui l'émetteur récepteur qui nous met en communication avec les hautes sphères. Il joue là un rôle indispensable.

Paradoxalement, notre mental est aussi l'outil qui cause tous nos malheurs.

Nous faisons un usage abusif de notre mental rationnel. Nous avons tout misé sur nos capacités intellectuelles, et cela conduit à la catastrophe.

Les méthodes intellectuelles sont tout à fait insuffisantes, car elles sont au service d'un personnage peu évolué et donc elles fournissent soit du bien, soit du mal, des vaccins aussi bien que des bombes.

Elles ne parviennent en aucune façon à faire évoluer les individus, et donc au bout du compte, tous les progrès qu'elles apportent peuvent changer les circonstances sans modifier les problèmes de fond tant que l'individu reste ce qu'il est.

Mais aussi les savoirs ne suffisent pas parce qu'ils sont morcelés en domaines différents, parce qu'ils donnent lieu à peu de changement sur le corps social, sur l'activité économique ou politique. Constatons que notre énorme capacité de recherche, nos gigantesques avancées scientifiques dans tous les domaines sont incapables de changer le monde et de l'améliorer.

Si nous nous en remettons exclusivement au rationalisme, celui-ci devient un autre pouvoir occulte et asservissant. Et ce pouvoir-ci est plus internalisé que les Trois Pouvoirs externes, il est intégré dans notre mental, il fait partie de notre propre nature, mais cela ne signifie pas qu'il doive être exclusif, nous devons le maintenir à sa place correcte. Ainsi le cartésianisme est-il une sorte de fascisme mental s'il est le mode de pensée unique et exclusif.

Par ailleurs, l'utilisation exclusive de la méthode rationnelle restreint le champ d'exploration des sciences au domaine rationnel, alors que les besoins de compréhension dépassent largement ce domaine.

« Mais la raison ne peut accéder à aucune vérité finale parce qu'elle ne peut ni atteindre la racine des choses, ni embrasser leur totalité.

Elle s'occupe de ce qui est fini, de ce qui est séparé, et se trouve dépourvue de moyens face au tout et à l'infini. » Sri Aurobindo (1)

La pensée objective ! Mais justement, en étant objective, elle se limite à décrire des objets. Elle se sépare de l'objet, elle l'isole, elle se coupe de lui, et cela ne lui permet plus de le connaître complètement. Ce serait comme essayer de tout comprendre et tout expliquer sur l'ail mais sans vouloir le goûter.

Il nous faut rajouter un mode de pensée qui ne reste pas en dehors de l'objet, mais pénètre son essence.

C'est la pensée intuitive.

Maître Ni l'explique ainsi :

« Le mental est unidimensionnel, on ne peut avoir qu'une pensée à la fois. La vie est un processus multidimensionnel et toujours changeant, qui fonctionne sur plusieurs niveaux en même temps. On peut donc comprendre quelque chose intellectuellement et demeurer ignorant.

Toute l'éducation et le savoir du monde peuvent renforcer le mental, mais ils ne sont pas un signe de sagesse. La sagesse – qui perçoit les choses de manière claire et complète – est une fonction de l'intuition. User du mental à l'excès, ou en faire notre maître nous prive de notre capacité intuitive. Pour connaître la totalité de la vie, nous devons apprendre à faire taire le mental et laisser l'intuition agir librement. Il faut une patience et une discipline sans relâche pour faire taire le mental et que l'intuition puisse se révéler.» (2)

Nous devons faire la triste constatation que l'abus de nos moyens rationnels nous a conduits à une grave déviation en dehors de ce que notre évolution aurait dû être.

Pourquoi nous laisser aveugler par un savoir qui ne cesse de changer et de devenir désuet, tout en ignorant la connaissance de la sagesse, qui ne change pas au cours des millénaires ?

Nous n'avons pas su conserver la vision intégrale que possèdent les « peuples primitifs. » Sans nous en rendre compte, nous avons évolué dans le sens d'une dégradation.

En nous confinant dans la production intellectuelle, nous nous confinons dans la seule vie matérielle, l'usage excessif du mental rationnel devient un asservissement qui nous limite terriblement. La pensée objective nous enferme dans le monde des objets, qui comprend aussi les concepts abstraits car ceux-ci sont objectivés et donc ils sont liés au monde structuré, formalisé, concrétisé.

En nous limitant à notre propre monde, le développement intellectuel exclusif oppose un obstacle à une évolution plus complète de l'individu et de la société.

Pour faire face à la crise, il faut une mutation de la conscience

Lorsque nous avons quitté l'état de simple animal conscient et adapté à son milieu pour devenir un animal superintelligent, il y a eu une mutation de la conscience, qui nous a donné ce magnifique outil mental capable de répondre indéfiniment à notre curiosité.

S'il n'y avait pas eu cette mutation de la conscience qui nous permet de nous mettre en perspective et de penser en déchiffrant, en interprétant, en construisant, nous serions restés des primates au fond de la forêt.

Nos aimables compagnons qui n'ont pas suivi la même évolution que nous y sont toujours et ils ne changent pas.

Notre perception consciente doit franchir un nouveau degré pour que nous puissions résoudre les problèmes que nous avons créés.

Il faut dépasser la conscience autocentriste de l'individu qui ne voit et ne comprend que par rapport à soi.

Il faut dépasser le rationalisme du 19e siècle, cesser de n'utiliser qu'une partie de notre esprit et mettre en œuvre les deux hémisphères du cerveau, l'ensemble de nos facultés mentales, ce qui comprend la pensée intuitive qui fonctionne sans preuves, mais apporte des évidences complètes en soi.

Ce nouveau degré de la conscience existe déjà dans notre mental, mais il n'est pas développé. Donc nous demander de résoudre nos problèmes avec notre mental rationnel, c'est comme de demander à un cul-de-jatte de se mettre à marcher, ou de vouloir aller sur la lune en promenant à pied. Il manque quelque chose que nous n'avons pas développé.

Un bon plan, définir un objectif

Nous devons sentir ce qu'il nous faut et deviner comment l'atteindre.

Pour cela, il vaut mieux comprendre ce que nous sommes, et ce que nous voulons :

Décidons par exemple que nous sommes une créature vivant sur la Terre, et que nous voulons nous y adapter au mieux : cela veut dire découvrir toutes les relations qui relient tous les aspects de notre existence.

Voir que tout ce que nous faisons est lié à beaucoup de rapports et de conséquences, et qu'il faut tenir compte de tous ces liens. C'est découvrir la loi de réponse de l'énergie.

Voir que la personne a besoin d'un sens à sa vie. Voir que ce sens est déjà en germe dans son âme, et qu'il doit correspondre aux aspirations de tous.

Voir que les moyens que nous utilisons à présent ne relient pas tous les aspects de nos questions et ne répondent pas à la situation. Voir que le seul moyen de trouver la solution est de sentir que le monde est une unité dont nous faisons tous partie, une seule et même substance essentielle, et que cette substance essentielle est un champ d'énergie unique.

Voir que notre destinée s'inscrit inéluctablement dans ce champ d'énergie vibratoire et réactive et que nous ne faisons qu'un avec tout le reste.

Voir enfin qu'il faut tenir compte de ce qui est invisible, non manifesté, mais essentiellement important.

Ainsi nous saurons que notre destinée individuelle est solidaire de tout le reste, et que notre comportement personnel, notre développement individuel est crucial pour nous-mêmes et pour tous.

Quel est le chemin ?

Il s'agit d'une recherche intérieure.

Ce genre de perception, c'est une vision mystique, et c'est précisément celle qu'il nous faut et qui est en train de se développer.

Qu'est-ce que le mysticisme ?

Le mysticisme, c'est une fonction naturelle de l'esprit.

C'est le fonctionnement de l'esprit tout entier, dans son ensemble, en quête d'une compréhension complète et immédiate.

Cela marche plus ou moins bien lorsque c'est l'esprit mental qui tâtonne comme les antennes d'un insecte qui voit mal (L'esprit mental, c'est l'émotion, l'esprit intellectuel, conceptuel, la pensée, la mémoire...).

Cela marche bien quand c'est l'esprit intuitif qui se manifeste, celui-là, c'est de l'esprit originel, (= de l'esprit céleste, de l'esprit prénatal). Il fonctionne sans concepts, il est une révélation immédiate, il est un pouvoir de découverte.

La frontière n'est pas claire entre les deux, l'esprit intuitif réside dans le mental, mais c'est lui qui est actif dans le mysticisme. L'esprit mental se chargera d'enregistrer la réponse s'il y en a une.

Dans les intuitions qui conduisent aux découvertes, c'est l'esprit originel qui donne la réponse.

Les systèmes vivants inventent et créent les fonctions nouvelles qu'il leur faut pour répondre aux nécessités nouvelles. Tout naturellement, face au défi, la société humaine et l'individu procèdent de même. Plus précisément, dans ce mode d'adaptation, les systèmes créent de l'adaptation mentale, de la mentation, des fonctions mentales qui n'existaient pas encore ; c'est-à-dire qu'ils créent de l'esprit. Cela arrive grâce à l'esprit intuitif; chez les humains, c'est une perception mystique.

Le mysticisme, c'est l'expression de l'esprit en soi

C'est la révélation de l'esprit à lui-même, la découverte de notre vraie nature, c'est-à-dire de notre esprit subtil.

Sri Aurobindo le décrit très bien ainsi :

« L'essence de la spiritualité est un éveil à la réalité interne de notre être, à un esprit, un soi, une âme qui est autre que notre esprit mental, notre vie et notre corps, une aspiration intérieure à connaître, à sentir, à être cela, à entrer en contact avec la Réalité plus vaste de l'au-delà qui est partout dans l'univers et habite aussi notre propre être ... » (3)

Le mysticisme, c'est une expansion de la conscience

On comprend donc que ce phénomène est une vision particulière : une vision unitive qui saisit le tout, et non plus des objets ou des pensées isolées, cela implique la découverte de l'essence de l'univers comme une réalité transcendante, un être spirituel englobant tout, une nature qui est aussi la propre nature de notre être.

Devenir conscient de cela, de cette unité avec l'esprit universel, est une perception nouvelle, une mutation de la conscience.

C'est précisément la mutation de conscience dont nous avons besoin, le dépassement de la barrière au-delà de laquelle il nous est possible de résoudre tous nos maux et nos erreurs.

On se souvient aussi que la personne décrite par Maslow

comme plus pleinement réalisée que l'individu ordinaire, connaît spontanément et naturellement des épisodes de mysticisme, de communion avec le milieu spirituel.

Le mysticisme est une mutation de l'être

C'est bien beau de toujours parler de spiritualité, tout le monde en parle, et on ne voit jamais rien venir. C'est du vent ! De l'illusion compensatoire ! Il n'y a rien à montrer !

C'est vrai qu'il n'y a rien à montrer. L'esprit est essentiellement sans forme aucune, mais il se manifeste, il se fait sentir, il agit. Sri Aurobindo précise dans le passage cité ci-dessus que cette aspiration à saisir l'essence de l'être produit « un tournant, une conversion, une transformation de notre être entier résultant de cette aspiration, le contact, l'union, une croissance ou un éveil à un nouveau devenir ou un être nouveau, un soi nouveau, une nature nouvelle. » Cela signifie simplement que le mysticisme engendre une mutation qui est en fait un accomplissement de l'être.

Dans cette démarche qui consiste à sortir de l'ignorance, de la dualité, pour saisir l'unicité, la globalité, la totalité, l'être et l'esprit ne font qu'un. C'est-à-dire qu'il n'est plus possible d'exprimer sa découverte.

C'est parce que la conscience mystique connaît les vérités par identité. En formulant les vérités, on retrouve la pensée objective, la dualité, la séparation d'avec l'objet.

Au niveau de la pensée intuitive, on ne démontre pas les choses, on les vit, on les devient, on est cela parce qu'on est identifié avec le tout. Une intuition ne se démontre pas.

On peut prendre pour exemple l'appréciation de la musique, qui est un langage spirituel. Il n'est pas possible de démontrer pourquoi un morceau plaît, mais on peut vivre son appréciation. La conscience spirituelle est directe, elle est unie avec l'esprit qui est dans l'objet, ou dans une vérité.

C'est une évolution de l'être, un accomplissement de l'être, car c'est un domaine où on ne découvre pas des vérités, on est, on absorbe, on devient la vérité.

Le mysticisme exprime les valeurs fondamentales

Les valeurs éthiques profondes sont du domaine de l'ineffable, elles dépassent le domaine rationnel. Comme on l'a dit pour la musique, elles sont en grande partie inexplicables, elles se perçoivent par vision unitive globale.

Le beau, le bien, le vrai et le sacré nous rattachent à l'être ultime, et par conséquent, donnent un sens et une orientation à l'existence.

Le mysticisme est subjectif mais universel

Il est subjectif parce qu'il procède par perception intérieure sans objectiver. Mais on peut dire qu'il réunit le subjectif (qui appartient au particulier) avec l'objectif (ce qui est universel).

Il dépasse ce qui est objectif parce qu'il embrasse tout ce qui est, la réalité ultime.

Il est aussi universel, on retrouve la même démarche de compréhension par identification directe dans tous les temps et tous les continents.

L'esprit est absolument sans aucune forme visible. Pour des besoins de communication, les peuples ont objectivé des dieux divers, des dieux tonnerre, des dieux soleil, etc. Selon les régions, ce peut être un aigle, un éléphant, une tortue ou un serpent à plumes qui représente l'esprit. Mais cela n'invalide pas la démarche de communication directe, ni la présence de l'esprit derrière les symboles.

Les humains ont toujours cherché à se mettre en relation avec le monde invisible. Ils peuvent étendre leur conscience pour communiquer avec les esprits des arbres, des animaux, ou avec les ancêtres, la voûte céleste, ou un beau paysage. Cette recherche holistique de relation se passe dans tous les édifices religieux, et même chez *Homo Turbidus*, l'homme de la cohue et de l'anxiété, quand il languit dans les embouteillages, ou lorsqu'il tente sa chance au jeu.

Des erreurs sont possibles car nous vivons dans l'épaisseur de la matière. Des interprétations peuvent être erronées si le mental n'est pas assez décontaminé, pacifié, silencieux. Il cherche alors à imposer sa propre explication.

Une chose est certaine : l'esprit qui parle dans le mysticisme ne peut se tromper dans ses réponses, il ne peut certainement pas se tromper parce que c'est lui qui crée le monde. Et c'est là un point capital : si on parvient à puiser directement à la source, non seulement l'esprit n'erre pas, mais il peut également donner toutes les solutions à tous les problèmes. Là nous trouvons ce qu'il nous faut. Au fur et à mesure que nous progressons, notre jugement et notre inspiration se développent, c'est là qu'ils trouvent leur source.

Commencer par le commencement

En fait, ce qu'il nous faut pour commencer, c'est un principe absolument simple et universel que tout un chacun puisse mettre en œuvre. Ce principe, nous l'avons : c'est la loi de réponse de l'énergie. Par attraction et réaction, la qualité de nous-mêmes, la qualité de nos actes, les vibrations que nous émettons attirent une réponse équivalente provenant de notre milieu énergétique.

Commençons donc par mettre en observation cette loi, jusqu'à ce que nous soyons convaincus par la preuve de sa validité. Cela s'adresse donc en premier à ceux qui parviennent à le faire, car la perception de cette loi est déjà spirituelle et subtile, sans quoi nous la suivrions beaucoup plus depuis longtemps.

Si nous laissons tomber un objet, il y a des chances qu'il arrive par terre. Là, c'est la gravité qui joue. Au niveau spirituel invisible, on peut observer la loi de réaction qui joue aussi infailliblement. Toutes les personnes qui sont déjà sensibles au niveau spirituel peuvent directement se faire la preuve de la validité de la loi subtile universelle. Pour elles, les observations sur la loi se présentent spontanément sans effort.

Au niveau spirituel, la preuve ne se démontre pas, il n'y a qu'une évidence. Si on constate une réaction bonne ou défavorable dans la loi de réponse, on ne peut pas le prouver rationnellement, car ces vérités se situent dans un domaine au-delà des pensées conceptuelles. Il n'y a donc pas de mots pour le prouver, il y a un esprit pour le saisir.

On ne peut que constater par intuition que ça est. On saisit par simple intuition évidente. C'est là que se trouve le pas à franchir dans la maturation de la conscience.

L'histoire de l'Anaconda

Un documentaire de télévision montrait des scientifiques qui approchaient méthodiquement une tribu amazonienne n'ayant encore eu aucun contact avec le monde moderne.

Leur but était de protéger et comprendre ces Indiens. Les contacts prudents se passaient bien jusqu'au jour où un membre de l'équipe fut brutalement et inexplicablement mis à mort par les Indiens. Les contacts reprirent l'année suivante, et alors subitement un petit enfant du village indien disparut, avalé par un anaconda.

Pour les Indiens, c'était la conséquence du meurtre de l'homme l'année précédente. Pour les scientifiques, ce fut un accident. À nous de décider s'il est vraiment certain qu'il n'y a pas de lien entre les deux et donc ne pas tenir compte de la possibilité d'un lien. En tout cas, pour ces peuplades de niveau préhistorique, la loi de réponse est évidente. Est-ce une superstition, le désir de voir quelque chose qui n'existe pas ? Ou bien est-ce que leur esprit non étouffé par le savoir intellectuel perçoit spontanément des évidences que nous ne voyons plus ?

Pourtant, dans un monde où tout est dynamique, nous sommes bien habitués à voir que toute action a une conséquence. La loi de réponse de l'énergie est constitutive de notre monde et de notre esprit mental : elle contient la bipolarité : cause/effet, visible/invisible. Nous ne pouvons même pas penser en dehors de la polarité ; comme disait déjà un sage ancien : la beauté existe parce qu'il y a de la laideur, le bien parce qu'il y a le mal, l'existence dépend de la non-existence, le difficile et le facile se définissent l'un l'autre, le haut et le bas se créent l'un l'autre. Il est vital pour nous d'apprendre à déchiffrer les liens invisibles.

Laisser la loi de réponse de l'énergie se révéler à nous, c'est faire un pas vers une extension de la conscience, un pas vers la conscience cosmique.

16. Trouver le chemin

Bûches, embûches, tu trébuches

Le mysticisme est cependant un piège caché qui attend les imprudents et les innocents. Puisque nous nous sommes emmurés dans le rationnel et le conceptuel, nous sommes devenus fort peu aptes à capter autre chose. Cela ne nous est plus facilement accessible.

Le danger serait de courir après le mysticisme, de vouloir le pratiquer comme une méthode assurée en attendant des résultats visibles et rapides. C'est aller droit dans le mur, aller vers des illusions qui seront suivies de fortes désillusions. Il vaut mieux attendre que la communication se manifeste par elle-même, à mesure que nos capacités auront mûri.

Le mysticisme dont nous parlons ne se rapporte pas à des transes, ni à des extases excitées, il ne s'agit pas de rechercher des révélations ou des visions ou des hallucinations. Il ne s'agit pas de projeter dans la spiritualité des pulsions ou des imaginations personnelles.

Par exemple, les personnes qui méditent longtemps très consciencieusement perçoivent parfois des visions.

Mais la tradition nous dit justement de ne pas en tenir

compte, car on sait bien qu'il s'agit simplement d'images qui sortent de l'inconscient.

Il faut aussi se garder de s'en remettre à des guides ou des gourous autogénérés ou autoproclamés. Il ne faut pas que le besoin d'évoluer se transforme en dépendance envers des individus capables d'exercer une ascendance sur les personnes crédules.

Or c'est un domaine où ces petits maîtres surgissent comme des champignons plus ou moins intoxicants. Ils ne peuvent rien apporter de plus à l'enseignement des traditions.

Il y a beaucoup de gens qui sont très doués pour canaliser l'expression d'êtres astraux, mais il faut aussi savoir qu'en général, on canalise ce qu'on a déjà dans son propre mental, conscient ou inconscient. Pour développer sa spiritualité, on peut certainement avoir besoin d'aide, mais on n'a pas vraiment besoin d'un intermédiaire.

Les personnes qui ont atteint l'éveil peuvent nous paraître des guides fiables. Elles peuvent l'être, et peuvent dispenser un enseignement utile. Cependant, il faut savoir que ces personnes ne sont pas protégées contre les influences de puissances malignes, elles peuvent donc parfois tomber dans des comportements surprenants ou condamnables.

D'autre part, l'éveil ne suffit pas non plus pour atteindre le contact avec les entités célestes authentiques (les êtres surnaturels qui peuplent le ciel). L'éveil est simplement la première étape sur le chemin de l'évolution, la sortie de la dualité, mais ce n'est pas le terme final.

Où chercher la voie du développement personnel ?

La réponse est la plus simple : il s'agit uniquement de pragmatisme. L'homme est un animal religieux, c'est-à-dire qu'il a besoin de certaines réponses, parce que sa conscience est avancée.

Il veut déchiffrer les relations qui l'entourent. Il a besoin de savoir ce qu'est le monde, ce qu'il est lui-même, et quel est le sens de sa destinée. Comment il est relié à tout ça.

Pour répondre à ces questions, il emploie toutes les méthodes. Et il choisit finalement celle qui lui donne les résultats qu'il attend.

La méthode agnostique, selon laquelle on ne sait pas, mais comme le monde est bien fait, faisons-lui confiance et ça nous conduira bien quelque part, ce qui sera donc tout à fait convenable. Cette méthode est bonne. Mais l'issue doit se faire longuement attendre, l'évolution se fait alors normalement et tranquillement, mais étalée sur un grand nombre d'existences successives. Et puis elle expose à une suite de hauts et de bas. La belle période, « il fait beau, allons à la plage » peut être suivie de dépression, surtout lorsque l'âge ou la maladie viennent effacer les belles périodes heureuses de la jeunesse.

La méthode de la recherche scientifique, et celle de la réflexion philosophique, qui sont des méthodes externes ; on cherche en dehors de soi. Cette méthode est-elle bonne ? Elle apporte d'excellents résultats pratiques. Par contre, les résultats métaphysiques restent nuls. Cette méthode nous laisse vivre d'espoir dans une salle d'attente et on risque d'y rester longtemps. C'est un peu inconfortable, mais pas trop, car nous sommes assez malins pour mélanger plusieurs méthodes et trouver quand même ailleurs des réponses qui nous accompagnent suffisamment.

La méthode religieuse, par laquelle on s'incorpore à un mouvement enseigné. Dans la mesure où on trouve que les réponses sont satisfaisantes, ça peut aller. Mais ces réponses sont anciennes et dépassées. Elles vieillissent vite, sous le soleil des idées modernes. Elles font nécessairement appel à la foi, à la croyance soumise à des dogmes problématiques. Cette méthode peut satisfaire certaines personnes, et le résultat sera tout à fait valable du fait qu'en spiritualité, ce qui compte, ce ne sont pas les constructions théologiques, mais la sincérité.

La méthode de l'action. C'est celle de tous les volontaires qui s'engagent dans diverses associations et ONG, ou dans la vie politique. L'action pour aider son prochain apporte un sens à la vie. Il y a moyen de trouver une réalisation personnelle dans la poursuite de valeurs éthiques auxquelles on consacre sa vie. Une très bonne méthode, surtout au niveau affectif. Il n'y a pas de réponses intellectuelles, elles se saisissent dans le vécu.

On peut également trouver sa voie et un sens à sa vie dans l'exercice d'un art, littéraire, artistique ou musical ou d'un sport. Toutes les voies cependant apportent des réponses, des réalisations, mais toutes les voies paraissent incomplètes.

Si on rajoute ceux qui cherchent leur réalisation dans l'appartenance à une confrérie, dans l'exercice de leur métier, ou dans le dévouement envers leur famille, on constate qu'on a compté tout le monde.

On pourrait dire que tous les humains recherchent, dans leur activité physique ou mentale, à se réaliser, à trouver une signification satisfaisante à leur existence.

Mais quelle est la raison de ce dévouement? C'est

simplement que nous suivons tous le courant, le flux d'énergie universelle, qui a un sens, une direction. Ce grand mouvement, cette grande marée qui nous entraîne, c'est un retour vers l'Origine, vers l'Unité primordiale.

Tout le dynamisme de l'univers y participe, depuis la valse des galaxies jusqu'à la pousse d'un petit brin d'herbe. Le vieux sage disait que l'univers fonctionne comme un soufflet de forge. Il émet le souffle dans un premier temps, puis réabsorbe le souffle en aspirant. Tout ce qui existe, ce qui a été projeté dans l'existence, suit un mouvement de réintégration vers l'origine, qu'on le sache ou non. Pour nous, le désir de mieux être, de se réaliser, de trouver un sens à sa vie, de perdurer, de sortir de la mortalité, d'échapper aux souffrances, aux conflits et aux contradictions inhérentes à notre monde, ce désir, c'est le mouvement de réintégration vers une Origine Une et parfaite.

On peut dire que ce besoin fait essentiellement partie de nous. Toutes nos activités s'inscrivent dans ce mouvement. Les diverses méthodes énumérées ci-dessus en sont l'expression.

Cependant, quiconque est vraiment conscient de l'importance de sa propre évolution recherche un développement plus assuré et plus méthodique.

Trouver le passage

Pour trouver son chemin, le plus simple est de reprendre l'expérience de ceux qui nous ont précédé depuis des millénaires, et qui n'étaient pas moins perceptifs que nous. Nous avons déjà une énergie corporelle satisfaisante. Nous avons une activité mentale plus que suffisante, et nous savons que ce qui nous manque, c'est de retrouver le troisième terme de notre trinité, c'est-à-dire développer la sphère spirituelle.

La matière physique est de l'énergie, la vie est de l'énergie, l'esprit est de l'énergie : il n'y a rien d'autre dans l'univers.

La réponse est donc évidente. Puisque les trois ordres sont en continuité, puisqu'ils sont établis par une seule énergie qui prend des aspects différents selon sa fonction, mais qui est la même, la solution est donc de suivre notre énergie. Nous développer à partir de nous-mêmes sans nous aliéner dans des croyances externes. Construire l'édifice en commençant par les fondations, et non par la toiture.

Précisions sur l'énergie

À présent, nous parlons de notre énergie vitale : c'est notre vitalité, le fonctionnement du corps et du mental. C'est notre vie, la matière première de notre être. Elle peut faire beaucoup de choses car elle se répartit pour assurer les multiples fonctions de l'organisme : réparer, guérir, faire circuler le sang, faire digérer ou faire penser …

Elle tient ensemble l'esprit et le corps, et quand elle disparaît, nous mourrons. L'image externe qu'on en donne est celle de notre souffle.

Dans son niveau fonctionnel le plus proche du concret, l'énergie est décelable, par exemple sous forme de chaleur, picotements, mais dans son niveau supérieur, elle ne l'est pas.

Toutes les traditions du monde en ont fait l'expérience, mais la science n'a pas réussi à la saisir : c'est qu'elle est immatérielle et insaisissable. Il faut reconnaître qu'elle fait partie du domaine spirituel et non du domaine corporel. On peut en saisir l'action, les effets, mais on ne peut pas la saisir elle-même.

Comme elle est de nature spirituelle, c'est elle qui peut naturellement nous fournir le passage, le moyen d'effectuer notre développement spirituel.

Elle peut naturellement nous conduire sans erreurs vers les perceptions spirituelles supérieures, et vers l'Origine dont elle est issue.

Quelles sont les diverses méthodes à notre disposition pour cultiver notre énergie ?

Cultiver notre énergie par une gymnastique appropriée

Chaque jour nous en gagnons et en perdons, elle ne cesse d'entrer et sortir de nous. Nous en dépensons, et par conséquent, pour bien vivre, il faut compenser la dépense comme sur un compte en banque.

Quand l'énergie de la forme (= du corps) est pleine, on vit dans le bonheur de base de l'existence.

Cela peut être un bien-être extrêmement profond. On résiste bien aux épreuves, on est dans la joie, l'esprit positif, le cours normal de l'existence.

C'est une énergie équilibrée qu'il faut entretenir. Comme dans l'univers, l'énergie en nous est neutre au départ, puis ensuite se polarise. Un déséquilibre dans la polarisation, c'est-à-dire un excès ou un manque, crée donc un malaise, ou à long terme, une maladie. Toute forme particulière d'énergie en manque ou en excès est donc malsaine. Par exemple, si pour entretenir son énergie, on essaie de se gonfler à bloc, ou si on se met à développer constamment une énergie excitée ou violente, on finira par se faire claquer le système vasculaire.

L'énergie correcte qui est pleine et forte n'est pas une gêne ni un risque, elle est un bien-être subtil et équilibré, qui peut entretenir, guérir, mais qui ne peut pas rendre malade.

La manière la plus évidente de cultiver sa propre énergie, ce sont les pratiques de gymnastique douce qui sont spécialisées dans ce but. On connaît le Yoga, le Taichi, le Qigong (prononcé *tchi kong.*) Ces méthodes contiennent des centaines d'exercices raffinés mis au point par les Maîtres au cours d'une longue histoire. Typiquement, ces exercices associent les mouvements corporels au souffle et à la concentration mentale. Ils agissent donc pour intégrer le corps, l'énergie vitale et l'esprit. S'ils sont pratiqués avec suivi, ils assurent le développement et l'entretien de l'énergie, et donc ipso facto ils ouvrent la voie au développement spirituel.

On pourrait rajouter tous les sports qui peuvent se pratiquer de manière mesurée et non excessive. Ceux-là ne contiennent pas d'orientation vers l'ouverture spirituelle, mais quand même tant qu'on entretient son énergie, on s'en approche.

Cultiver notre propre énergie par la maîtrise du mental

Nos émotions sont bien naturelles, il ne faut pas les rejeter.

Mais lorsqu'elles sont excessives, ou trop fréquentes, les émotions sont en nous de véritables poisons.

Pensons à la colère, à la jalousie, à la déprime, les frustrations, les peurs, c'est assez pour faire de sérieuses vagues sur l'océan que nous naviguons.

Les émotions excessives, les désirs excessifs, les pensées turbulentes, toutes ces mauvaises habitudes drainent et épuisent notre énergie. En consommant notre énergie, elles deviennent des poisons car elles engendrent la négativité.

La négativité est le signe d'une déperdition ou bien d'un déséquilibre d'énergie. Ainsi les émotions excessives du quotidien créent une contamination qui peut devenir une source constante de négativité. Il convient donc de l'éliminer régulièrement, et de s'en protéger, sans quoi la négativité se renforce et finit par être absorbée dans notre personnalité plus profonde.

Même les émotions heureuses trop fortes attireront à terme leur contraire.

L'expérience quotidienne apporte régulièrement son lot de contamination psychique dont il faut se protéger. C'est une façon essentielle de cultiver son énergie.

Les troubles et difficultés qui nous assaillent proviennent de notre contact avec le monde externe. Alors que les conflits épuisent notre énergie, le moyen de mieux résister c'est de choisir la démarche intérieure, car cela permet de se recentrer sur soi, c'est-à-dire renforcer et cultiver notre énergie vitale tout en prenant de la distance avec les troubles externes.

Au point de vue pratique, une première démarche est de réduire et simplifier les activités externes qui ne sont pas nécessaires, c'est une bonne gestion de notre énergie. Éviter de se disperser dans des activités multiples non nécessaires.

Mais il en est de même intérieurement, la démarche consiste à simplifier le plus possible notre activité mentale. Cela va renforcer notre énergie vitale qui s'exprime dans notre mental. Éviter de se disperser dans une galopade mentale incessante.

Nous ne nous en rendons pas bien compte, mais nous gaspillons beaucoup d'énergie en réflexions inutiles. Nous nous occupons constamment à répondre à mille questions et chacune des réponses suscite encore mille questions.

La tranquillité permet de contrôler les émotions L'indépendance émotionnelle

La recette traditionnelle conseille la voie de la tranquillité.

Garder un esprit paisible, c'est se retirer de la couche

externe des tensions de la vie et s'ancrer dans notre nature profonde.

Les chocs et les heurts du monde extérieur ont alors beaucoup moins de prise sur nous.

L'image habituelle est de comparer l'âme à un océan qui est agité en surface mais demeure calme en profondeur. La tranquillité renforce le mental parce qu'elle élimine la contamination des émotions négatives.

Bien sûr, nous serons toujours sensibles aux grands chocs et évènements de l'existence, mais à force de cultiver la tranquillité nous gagnons de plus en plus en force mentale, et nous ne restons pas dépendants des grandes épreuves.

Un mental paisible et non occupé

Pratiquer la quiétude, la sérénité, la paix mentale peut devenir une excellente habitude.

Le vide mental est un nettoyage. C'est fait dans les moments de méditation, mais aussi, en maintes occasions au cours d'une journée, chacun de nous pratique un degré de délestage mental.

On peut chercher plus méthodiquement à garder le mental non occupé. Tout le contraire des habitudes ordinaires où le mental ne cesse de galoper en vain après toutes les idées qui se présentent. Un mental non occupé est réceptif, il saura fournir des solutions plus rapides et plus précises lorsqu'on en aura besoin.

Répétons cette citation du chapitre précédent :

« User du mental à l'excès, ou en faire notre maître nous prive de notre capacité intuitive. Pour connaître la totalité de la vie, nous devons apprendre à faire taire le mental et laisser l'intuition agir librement. Il faut une patience et une discipline sans relâche pour faire taire le mental et que l'intuition puisse se révéler. »

En quoi consiste un mental vide, non occupé ?

C'est adopter une attitude particulière qui renonce à la dispersion mentale dans toutes sortes de pensées, pour conserver le mental au plus proche du point d'excitation zéro. (1)

C'est garder le mental dans un état neutre et réceptif. C'est également garder ce mental pleinement utilisable et pleinement ouvert, capable de percevoir plus largement que le seul rationnel conceptuel.

Ouvrir l'esprit dans sa totalité. C'est-à-dire en fait adopter une attitude mystique, prête à percevoir ce qui peut se présenter.

Ce qui peut se présenter pourrait être très simple et en même temps très étonnant.

Un chemin d'évolution

Reprenons les étapes de notre cheminement :

Nous cherchons une voie de développement spirituel.

Il apparaît que la voie la plus fiable est de cultiver notre énergie vitale.

Cultiver notre énergie vitale implique de se rendre indépendant des émotions débilitantes, et d'un usage excessif de la pensée, les deux choses étant un gaspillage inutile de notre énergie vitale.

Mais alors, que se passe-t-il ?

Pour trouver la paix intérieure, nous avons pris du recul, de la distance par rapport aux luttes du monde externe.

Nous avons fait quelques pas en retrait du champ de bataille où les tendances contraires s'affrontent sans cesse dans notre monde gravement conflictuel.

C'est-à-dire que nous nous sommes quelque peu éloignés de la dualité exacerbée de notre milieu pour rejoindre intérieurement un niveau plus profond d'énergie.

C'est que nous nous sommes éloignés du combat entre le plus et le moins et cela nous conduit au niveau précédant cette opposition, cela nous conduit à rejoindre l'énergie neutre, qui est l'énergie originelle avant qu'elle ne se polarise.

Quand on adopte cette attitude mystique de garder un mental vide, non occupé, ce qui peut se présenter de très simple et en même temps très étonnant, c'est que l'on reprend contact avec l'énergie originelle de l'univers, celle-là même qui a tout créé. On s'est relié à la source céleste.

Dans notre monde, on peut voir le positif d'un côté, le négatif de l'autre et le neutre au milieu. Mais dès lors que l'on retourne vers la paix intérieure, on retrouve l'Unité primitive qui réunit les contraires, on retrouve l'énergie originelle, qui est en soi. Celle-ci n'est plus bipolaire, mais une et neutre.

On cesse de tourner en rond sur le manège des cycles, et on accède à un monde qui transcende les conflits, les oppositions.

C'est la voie de l'intégration vers l'Origine. C'est accéder à une vie spirituelle qui englobe le monde concret mais ne peut pas se produire dans le seul monde externe.

Lever de rideau sur la perception mystique

Si nous parvenons à pratiquer la paix mentale, il se présente alors infailliblement des perceptions mystiques bien définies et non illusoires, non spéculatives, non hasardeuses.

La première de ces perceptions est la positivité.

En nous reliant à l'énergie céleste qui est en nous, à l'énergie originelle neutre, on ressent une profonde positivité.

On peut l'expliquer en disant que cette neutralité a ceci d'extraordinaire, c'est qu'elle est positive. Comment le neutre peut-il être positif? C'est qu'il n'a pas de contrepartie, il précède le positif et le négatif, cette neutralité de l'esprit originel est donc absolue.

L'absolu n'est plus positif ou négatif, une chose par rapport à l'autre, il englobe le tout. Il est forcément positif car il n'existe rien d'autre que lui seul, il n'existe plus par rapport à autre chose.

L'être absolu est positif par le seul fait d'être. C'est l'absolu de l'absolu et non plus l'absolu par rapport au relatif, c'est-à-dire un règne qui englobe et dépasse notre monde, une réalité qui se situe au-delà de ce que nous pouvons comprendre mentalement.

On dit que cet esprit originel c'est l'esprit divin, car il appartient à l'autre monde, à la sphère totalement spirituelle. Mais il est aussi notre propre nature, il est inné en nous en une petite dose. Son aspect inhérent et positif paraît dans le sourire du tout petit enfant.

En fait, il suffit de laisser croître en dedans la positivité naturelle de l'esprit. Attention cependant! Une attitude excessivement positive dans la vie est une erreur, car elle deviendrait rapidement négative en raison de son excès, et serait finalement trompeuse.

Vivre dans la positivité se fait de façon discrète, silencieuse et pudique, comme tout ce qui est intime et vital.

Une autre perception mystique est de se sentir solide.

C'est parce qu'en même temps qu'on atteint la paix interne, on alimente notre force vitale ; c'est puiser dans l'énergie créatrice qui nous aidera à vivre, à trouver des solutions et à nous améliorer. Il s'ouvre dès lors une vie beaucoup plus harmonieuse.

En nous éloignant des conflits externes pour retrouver notre nature profonde, nous retrouvons les meilleures conditions d'existence.

Le sage dit que le malheur et la souffrance se produisent principalement parce que nous dévions en dehors de notre nature originelle. La satisfaction, le bonheur véritable arrivent dès lors qu'on s'identifie avec notre nature véritable. Très naturellement, nous arrivons à une joie paisible et profonde, nous intégrons l'harmonie, nous nous trouvons en consonance avec les lois du monde.

Et ce n'est pas fini.

À long terme, la quiétude mentale, qui est une caractéristique de notre nature véritable laisse aussi croître en nous la sagesse.

La sagesse est l'ensemble des connaissances que les sages nous ont transmises et qui permettent de comprendre le monde.

Ces connaissances sont issues de la même attitude d'ouverture de l'esprit dans sa totalité, c'est-à-dire dans la quiétude. Elles sont issues de l'intégration avec l'esprit originel qui se pratique dans la méditation prolongée, voie suprême de connaissance et d'évolution.

17. La méditation

Lorsque nos ancêtres primates sont devenus des animaux humains superintelligents, il y a eu un apport supplémentaire d'esprit (= de perception consciente). L'essentiel de leur existence est passée du niveau biologique instinctuel au niveau rationnel humain.

Maintenant, nous avons à faire un saut semblable, pour passer du domaine humain à la sphère plus purement spirituelle. Il nous faut encore un apport supplémentaire de perception consciente, mais cette fois il apparaît que c'est notre responsabilité d'aller chercher nous-mêmes ce supplément d'esprit, c'est une décision qui dépend de nous.

À mesure que l'humanité se spiritualise, il se produit entre la personne nouvelle, spirituelle, et la personne ancienne, rationnelle, un écart aussi important que celui que l'on observe à présent entre les primates et nous.

La personne ayant réalisé son potentiel humain telle que décrite par Abraham Maslow n'est pas encore la personne pleinement réalisée, l'être humain final véritable. C'est dire à quel point notre monde nouveau sera inattendu et différent.

Évolution de l'humanité :

La méditation est la pratique souveraine.

C'est un processus d'autoguérison et d'évolution, qui devrait se concevoir sans rapport religieux. Une mise au point globale, en même temps physique, mentale et spirituelle. Une mise en service de l'esprit profond, qui habituellement reste sur la touche. Une exploration prospective du chemin d'évolution et de progrès qui se fait sans se faire. Évoluer, c'est comme grandir, on ne le commande pas, mais il faut y apporter les conditions nécessaires.

Tous ceux pour qui la méditation est un apport précieux trouvent un peu de temps pour ça. Les petites heures du matin sont les meilleures. On peut commencer par trois ou cinq ou dix minutes. Aucun effort dans ce sens n'est nul.

Cela devient une pratique dont on a besoin, c'est refaire le plein de bonne énergie en éliminant les déchets psychologiques. Les plus doués pratiquent pour se faire plaisir, pour être heureux.

C'est exactement la même chose que s'alimenter. Il faut le faire un peu chaque jour, au physique comme au moral. Nous ne consommons pas que du pain. Ceux qui ne pratiquent pas la méditation doivent sans doute faire le même genre de pratique dans la journée, peut-être sans s'en rendre compte.

Comme une sieste éveillée où on ne pense à rien. Les moments où on laisse arriver des solutions aux questions en suspend, mais sans y réfléchir. Ou une tâche qui absorbe complètement. Ou quelques moments de repos où on arrête tout, même de réfléchir en buvant une tasse de café.

Krishnamurti : « La méditation peut avoir lieu alors que vous êtes assis dans un autobus, ou pendant que vous marchez dans un bois plein de lumière et d'ombres, ou lorsque vous écoutez le chant des oiseaux, ou lorsque vous regardez le visage de votre femme ou de votre enfant. »

Ceux qui par tempérament trouvent impossible de la pratiquer peuvent néanmoins trouver des bénéfices semblables de régénération et d'évolution dans les exercices de gymnastique énergétique. Là aussi, ils peuvent trouver une pratique qui vient alimenter leur santé, leur bonheur de base et leur évolution personnelle. (1)

Chez les méditants professionnels, la pratique est beaucoup plus poussée, avec des objectifs différents. Cela devient une pratique d'union avec le divin et d'accomplissement personnel complet. C'est faire aboutir en une vie ce qui demanderait autrement plusieurs existences successives.

À ce niveau supérieur, la méditation devient l'activité principale, voire la seule. Elle devient la raison de vivre.

La seule différence est la durée de la pratique. Quelques minutes par jour pour le citoyen ordinaire, mais de longues heures pour l'adepte professionnel.

Les voies mystiques dans le monde, le développement intégral

Toutes les religions possèdent une voie mystique qui pratique la méditation en vue d'un développement intégral, d'un contact direct avec le divin.

Ce qui est particulièrement remarquable, c'est que, sous des apparences quelque peu variables, elles pratiquent toutes exactement la même méthode, la même méditation. C'est-à-dire la cessation des activités mentales et le recueillement dans la vacuité.

On a signalé (2) les mêmes méthodes chez les adeptes du Bouddhisme, de l'Hindouisme, du Taoisme, du Zen, ou les prophètes de la Bible, les saints de la tradition monastique chrétienne. C'est vrai de l'Église Orthodoxe, du Soufisme, du paganisme celte, et on retrouve aussi ce travail de développement personnel hors de la pensée chez les Grecs de l'époque socratique. Dans toutes ces pratiques, on retrouve les mêmes principes fondamentaux sous une forme ou sous une autre.

Un même exercice, souvent désigné du nom de **La Voie** et utilisant la même procédure qui est donc universelle et dégagée de toute dénomination.

Quelle est donc cette voie ?

C'est le culte de la vacuité.

Laisser disparaître les pensées et conserver un esprit libre. Cesser de s'accrocher à des sentiments, des sensations, des images mentales, des idées.

« Puisque Dieu est dépourvu de toute forme, pour se relier à Dieu, les moines chrétiens du Moyen-Âge pratiquaient la prière « recentrée » ou « silencieuse » afin de tout abandonner – même leurs pensées – parce que les pensées font obstacle à cette expérience de l'union parfaite avec Dieu. » (2)

Le sens de la vacuité

On comprend que dans la méditation, en ramenant l'esprit à l'immobilité hors de la matérialité, au point d'excitation zéro, on se retrouve dans l'énergie originelle pure, avant qu'elle ne se dissocie en deux aspects, on réintègre l'origine. Cela est une intégration mystique, car on quitte la dissociation duelle, qui est le partage de l'énergie originelle en deux polarités. On rejoint donc l'absolu, ou du moins, on essaye.

Le vide n'est pas le néant. L'objet est manifesté par la présence du néant qui lui permet d'apparaître, mais le vide est autre chose, c'est ce qui englobe et produit toutes les paires comme l'être et le néant, le Ciel et la Terre, le visible et l'invisible,

Ce vide, c'est l'absolu, c'est l'énergie neutre de l'unité première avant la manifestation.

Ce vide qui est partout, et que nous avons sous notre nez, c'est une énergie, c'est l'énergie universelle.

Le point d'excitation zéro est celui où on arrête de chercher quoi que ce soit, le point où il ne se passe plus rien. On reste vigilant sans rien chercher, on est dans le mental pur. Si on arrête toutes les préoccupations, on sort de notre monde, on quitte les circonstances où tout est relatif, un peu plus ceci ou un peu moins cela. On renonce au soi externe.

Le point zéro, c'est le Un originel, le tout là où il n'y a rien.

L'existence est la non-existence, la non-existence est l'existence. Existence signifie ce qui est matériel, ou exprimable, non-existence signifie ce qui est immatériel et insaisissable par des mots.

Un texte dit : ici, les voies du langage s'arrêtent, car il n'est ni passé, ni présent, ni futur.

Pendant la méditation, l'esprit mental reste inactif, inoccupé, c'est parce qu'il n'a rien à faire. Ce qui se passe ne dépend pas de lui. Tout ce qu'il a à faire, c'est d'être présent, de se mettre en communication avec l'énergie spirituelle, et c'est elle qui agit. L'esprit est en position de communion, de réception.

Que se passe-t-il pendant la méditation ?

Il se passe une purification. Cette purification est simplement l'établissement du silence mental, qui a pour effet de nous faire sortir de l'épaisseur de la matière.

Nettoyer le mental de toutes les pensées, les laisser disparaître, atteindre l'état de quiétude.

À long terme, il se passe la découverte du Soi.

Sri Aurobindo écrit: « Lorsqu'il y a un silence complet dans l'être, soit une quiétude de tout l'être, soit une quiétude de fond non affectée par les mouvements de surface, alors on peut devenir conscient d'un Soi, une substance spirituelle de notre être, une existence dépassant même l'individualité de l'âme, qui s'étend dans l'universalité, qui surpasse toute dépendance de forme ou d'action naturelle, s'étendant vers le haut dans une transcendance dont les limites ne sont pas perceptibles. » (3)

Il se passe une évolution de la conscience qui est une transformation de l'être. On ne se voit plus essentiellement comme un personnage corporel. On devient conscient que la vraie réalité est autre que celle que l'on voit.

Sri Aurobindo le décrit ainsi: « Tout d'abord, l'âme en nous n'apparaît pas comme quelque chose de distinct du mental et de la vie mentale … l'être humain mental n'est pas conscient d'une âme en lui qui soit à l'écart de son mental, de sa vie et de son corps … mais à mesure que l'évolution interne se produit, c'est précisément ce qui peut, ce qui doit arriver, et c'est ce qui se passe – c'est l'étape suivante, très tardive mais inévitable, de l'évolution qui est notre destinée. » (3)

Ce processus qui se produit au contact de la nature profonde, est une alchimie dans laquelle notre énergie physique se transforme en énergie spirituelle. Ce n'est pas une simple activité mentale, semblable à un rêve.

C'est une mutation inexprimable extérieurement, car dans la sphère de l'esprit, ce que l'on est se vit intérieurement, mais ne paraît pas extérieurement et ne peut pas se démontrer par des mots externes.

Il se passe ce que le contact avec l'énergie créatrice peut apporter, l'évolution de l'âme vers son destin naturel.

On rapproche l'être intérieur de l'état où il ne devra plus repartir en réincarnations successives, où il aura atteint une stabilité permanente, c'est-à-dire l'union avec l'origine subtile.

Pour le citoyen ordinaire

Si l'individu ordinaire ne peut pas se faire la preuve de sa spiritualité, qu'il examine ceci : la spiritualité que l'on peut quand même se prouver, c'est notre vie interne, notre conscience, qui est insaisissable, et notre énergie vitale, qui est insaisissable, elles sont elles-mêmes de nature spirituelle. La conscience et l'énergie vitale sont deux caractéristiques de l'être spirituel. On peut trouver que c'est bien embêtant et pas intelligent de se trouver assis en s'interdisant de faire ou de penser quoi que ce soit. Mais en réalité, si on est réceptif, un courant positif s'établit et on se trouve dans un état de bien-être qui ne demande rien de plus. C'est un moment privilégié et ce bien être se prolonge par la suite dans la vie ordinaire. La méditation permet d'améliorer son équilibre émotionnel, d'atteindre une sérénité plus profonde. Le développement personnel le plus poussé permet de dépasser les contradictions de l'existence. Il atteint le domaine d'unité au-delà des conflits, des souffrances, des tragédies On peut même définir une motivation pour une séance de méditation, la dédier à un motif. Ensuite, pendant la pratique, évidemment on ne pense plus à la motivation, mais l'esprit ira dans ce sens et pourra apporter des réponses. Le fil conducteur, le fil d'Ariane, c'est le bien-être.

Un texte dit: «Pourquoi attendre de mourir pour être heureux? Vous pouvez trouver ici un bonheur sans fin.»

Épilogue

Évolution de l'humanité
Sortir de la voie du déraillement

La source de l'anxiété foncière *d'Homo Turbidus* vient de ce qu'il cherche mentalement une réponse que son mental rationnel ne peut pas lui fournir.

Notre progrès scientifique et culturel masque une régression. Ce que nous appelons « progrès » ou « développement » est un recul ou un déraillement. Régression, parce que nous avons perdu la communication intégrale que les peuples primitifs possèdent. Notre intellectualisation rationnelle ne peut que nous enfermer dans le matérialisme. Nous nous limitons à penser des objets, or ceux-ci, même les concepts abstraits, font partie du monde de la forme, ils sont reliés au concret.

Le rationalisme a consisté à tout réduire au seul raisonnement humain, et par là il a effectué une coupure entre l'humain et son milieu spirituel. Il a été une source d'erreurs dans l'expression de la vie humaine, car il expose cette vie à s'exprimer sans contrepartie supérieure, sans qu'elle s'inscrive dans un ensemble cohérent qui la contienne et l'ordonne.

Nous sommes objectifs, nous ne pensons plus que par rapport à l'objet, cela détache le sujet qui dès lors se croit maître de tout et tout permis. En fait, lorsqu'il n'est plus relié à l'ensemble, il est envahi et possédé par ses propres idées et ses propres passions. Ce que nous appelons «progrès» du savoir est en fait une enflure univoque de la raison et du savoir, si ce n'est pas accompagné de pensée intuitive holistique.

Il ne s'agit pas de renoncer à notre nature animale et aux bonheurs qu'elle nous donne ☺. Il ne s'agit pas de renoncer à la raison et aux bienfaits qu'elle apporte. Il s'agit développer ce qui est déjà là, mais qui est laissé de côté.

Une évolution individuelle bien réussie consiste à enrichir notre être spirituel et à nous intégrer dans la sphère spirituelle. Plus on s'engage dans les plaisirs et les désirs, plus on recule dans les sphères physiques, plus on s'éloigne de la spiritualisation, plus on s'attire des problèmes et plus on limite son destin.

Si on oriente ses désirs vers des actions positives, on avance vers des vibrations d'une énergie plus élevée, on progresse vers la sphère spirituelle.

Un sage a dit: «les humains parviendront à trouver des solutions répondant aux nécessités naturelles seulement lorsqu'ils se rendront compte que l'objectif central de la vie humaine consiste à se libérer de l'ignorance et des ténèbres. Lorsqu'ils en seront là, ils pourront réaliser une magnifique et paisible existence exempte de tension et de contraintes.»

On sait que par ignorance, il faut comprendre absence de connexion avec la sphère spirituelle, ignorance de ce que nous sommes, ignorance de ce qu'est notre destinée.

Par ténèbres, il faut comprendre, comme nous l'avons détaillé, l'égocentrisme, la cupidité, l'hostilité, c'est-à-dire la dépendance des passions et des émotions dont nous sommes les jouets. La libération consiste pour chaque personne à suivre sa propre inspiration naturelle au lieu de rester assujettie à des croyances établies nouvelles ou anciennes.

Avec la sagesse qui naît du développement personnel, les autres vertus nécessaires au progrès du monde apparaissent aussi naturellement.

Le nœud de l'histoire, c'est qu'il s'agit nécessairement d'une évolution de l'individu, puisque c'est l'âme interne qui se transforme.

Aucun changement radical n'est à attendre qui procéderait d'une solution instituée. Il est impossible d'instituer dans la pratique une métamorphose qui change les personnes aussi bien que les pratiques politiques, sociales et culturelles.

C'est dans l'évolution individuelle que se fait l'évolution collective. Si chaque goutte d'eau change, en température ou en salinité, toute la mer en sera changée. Tout autre procédure est condamnée à l'échec. Les avancées qui finissent par apparaître dans les pratiques instituées correspondent aux avancées qui ont déjà été atteintes par l'évolution des personnes. C'est une évolution qui ne force ou ne contraint personne, elle doit être naturelle.

Dans la mesure où les gens se réveillent et prennent leur destin en mains, où ils ne se contentent plus d'exister au sein de troupeaux mal dirigés qui avancent par inertie sans aller nulle part, le monde pourra parvenir à un ordre équilibré.

C'est à chaque individu d'assumer sa responsabilité.

Déjà l'évolution générale des esprits est en cours.

C'est ainsi que l'humanité sait trouver naturellement son chemin. À petits pas, elle peut trouver le chemin de l'équilibre matériel équitable, prospère et non destructeur dans l'économie solidaire, elle trouve son chemin d'organisation politique dans une démocratie ouverte et vertueuse, elle trouve aussi son chemin de réalisation intégrale de la destinée dans la spiritualité holistique, ou mystique, c'est la même chose.

Un empereur demandait une fois à un grand sage de lui expliquer tous les fondements de la pratique spirituelle. Le maître répondit : « Cesser de faire le mal, apprendre à être bon, purifier le cœur – voilà le principe fondamental. » Nous ressentons une incitation permanente à trouver une bonne voie, à atteindre un équilibre fiable. Cela montre que le bonheur durable est à notre portée. Il ne dépend que de nous de profiter d'une vie heureuse, de vivre en paix, d'être autosuffisants, de ne pas nous créer des difficultés, de ne pas nous débattre dans la confusion et le désordre.

Continuons à observer les évènements du monde, ils nous montreront dans quelle mesure l'humanité aura trouvé la voie. À nous de voir si notre esprit progresse assez pour nous sortir des ténèbres et nous faire vivre radieusement sur une terre pure, propre et ensoleillée comme un premier jour qui est en train d'arriver.

Fin du deuxième livre

Notes et documents

Chapitre 1. Notre priorité première

(1) Cité par J.W.Smith dans *Economic Democracy: The Political Struggle for the Twenty-First Century.*

(2) Cité par – S. Brian Willson, *Who are the REAL terrorists?*, Institute for Policy Research and Development, 1999

(3) Johnny Angel," *It's the Oil, Stupid,*" LA Weekly, 26 septembre, 2001.

(4) Andreas Toupadakis, cité dans Institute for Public Accuracy *Press Release*, Feb 23, 2000

(5) Discours du Président américain Dwight Eisenhower le 16 avril 1953.

(6) J.W. Smith, *World's Wasted Wealth II*, (Institute for Economic Democracy.)

(7) *"The Nightmare Weaponry of Our Future"* de Frida Berrigan. www.tomdispatch.com/post/155521/ frida_berrigan_how_the_pentagon_stole_the_future

(8) *The Turning Point*, chapitre 7, (titre français : *Le temps du changement.)*

(9) Site *Wikipedia, "February 15, 2003 anti-war protest."* www.search.com/reference/February_15,_2003_anti-war_protest

(10) B. Bowman et B. Stone. *Geo* # 72/73: *"The World Social Forum at a Crossroads ... "* www.geo.coop/archives/Bowman-Stone_WSF.html

Over 200 Pictures from 133 Protests around the World on February 15/16, 2003
www.punchdown.org/rvb/F15/

The Pentagon Strangles Our Economy: Why the U.S. Has Gone Broke
Chalmers Johnson, Le Monde diplomatique
www.alternet.org/story/83555/

Chapitre 2. Démocratie imparfaite

(1) *Le Monde diplomatique*, août 2007, *«Le lavage de cerveaux en liberté»*, Noam Chomsky.

(2) www.globalissues.org/issue/50/corporations

(3) www.globalissues.org/article/57/corporations-and-workers-rights

(4) Fritjof Capra : The Turning Point, (*Le Temps du changement,*) chapitre 7.

Chapitre 3. Démocratie dirigée

(1) www.globalissues.org/article/236/creating-the-consumer

(2) Richard Robbins, *Global Problems and the Culture of Capitalism,* (Allyn and Bacon,1999.)

(3) Analyses citées par Global Issues (*Creating The Consumer*) et tirées de documentaires de la BBC : *Shopology, 2001, The Century of The Self,* 2002, *Spend, Spend, Spend*, 2003.

(4) Richard Robbins, Op. cit. p.22, cité dans: *Creating The Consumer.*

(5) Dans un article cité par Global Issues L Mainstream Journalism: Shredding the First Amendment, Online Journal, 7 November 2002.

(6) MonopolyMediaManipulation
www.michaelparenti.org/MonopolyMedia.html

(7) *Le Monde diplomatique*, août 2007, *«Le lavage de cerveaux en liberté»*, Noam Chomsky.

(8) Noam Chomsky, The Common Good, Odonian Press, 1998.

(9) Edward S. Herman and Noam Chomsky, Manufacturing Consent; The Political Economy of the Mass Media, (Pantheon Books, New York, 1988.)

Global Problems and the Culture of Capitalism:
faculty.plattsburgh.edu/richard.robbins/legacy/default.htm

Chapitre 4. Démocratie véritable

(1) How Wealth Defines Power.
The politics of the new Gilded Age, Kevin Phillips | April 30, 2003
www.prospect.org/cs/articles?article=how_wealth_defines_power

Global Problems Reader.
faculty.plattsburgh.edu/richard.robbins/legacy/default.htm

Chapitre 5. Le besoin de développement personnel

Maslow's hierarchy of needs – Wikipedia, the free encyclopedia.
Esalen Institute – Wikipedia, the free encyclopedia.

Humanization of Development. A Theravada Buddhist Perspective. P. D. Premasiri :
ignca.nic.in/ls_03005.htm

Chapitre 6. Ouvrir et délivrer

(1) The Angola 3": Ex-Black Panthers Kept in Solitary Confinement for Over Three Decades
by Liliana Segura, AlterNet, March 19, 2008.
www.alternet.org/blogs/video/80252/

Prisons : la vérité en 2009 : prisons.free.fr/
Altermonde-sans-frontières, à quoi sert la prison ?
www.altermonde-sans-frontiere.com/spip.php ?article4851

Education de base dans les prisons.
www.unesco.org/education/uie/online/prifr/prifr.pdf

Chapitre 7. Plus qu'un grain de folie

(1) Capra F. *The Turning Point (le Temps du changement,)* chapitre 8.

(2) resosol.org/InfoNuc/energienuc-sante/Cœur2007.html

(3) resosol.org/InfoNuc/News/2006/NewsNuc06Suede1.html

(4) www.sortirdunucleaire.org/

> s'informer > dossiers thématiques > Tchernobyl.

>s'informer>dossiers thématiques> dossier sur le réacteur expérimental Iter

(5) ecoluinfo.unige.ch/colloques/Chernobyl/Torbine.html

(6) www.greenpeace.fr/stop-plutonium/filiere.php3

(7) www.greenpeace.org/raw/content/international/press/reports/nuclear-madness-briefing.pdf

(8) www.planete-eolienne.fr/

(9) www.million-against-nuclear.net/index.php

Chapitre 8. Les mégapoles

(1) www.alternet.org/story/50154/

(2) Fritjof Capra, *The Turning Point (Le Temps du changement)* Chapitre 12.

(3) web.inter.nl.net/users/Paul.Treanor/urban.ethic.html

Chapitre 9. Les trois pouvoirs

(1) www.alternet.org/story/50216/

(2) Communiqué de presse 173-2007 sur le site Eurostat.

Chapitre 10. Religion et évolution

(1) www.laetusinpraesens.org/musings/multiply.php

(2) www.christianitytoday.com/ct/2001/november12/4.58.html Raymond C. Van Leeuwen is professor of biblical studies at Eastern College in St. Davids, Pennsylvania.

(3) Fritjof Capra, *The Turning Point (Le Temps du changement.)* Chapitre 3.

(4) Humanization of Development, P.D. Premasiri. ignca.nic.in/ls_03005.htm

Chapitre 11. Comprendre le monde

(1) On dit aussi qu'il est: «à la fois le sans limites et le zéro. Le zéro n'est pas rien. Il est le neutre, le symbole abstrait de l'ensemble.»

(2) L'Inconnu Ultime, le Vide originel, a parfois été comparé à la matière noire de l'univers, mais la comparaison paraît difficile par rapport au vide absolu qui est total et non partie d'autre chose. Par ailleurs contrairement à la matière noire, ce vide n'a vraisemblablement pas de masse. Par contre, la matière noire pourrait

peut-être se comparer au Chaos primordial, soit une antichambre virtuelle du monde, une période de compte à rebours avant la manifestation de la création.

« La voie de l'intégration totale … est fondée en elle-même et trouve son origine en elle-même. Avant que le Ciel et la Terre n'existent elle se maintenait déjà d'elle-même et marquait le commencement du temps. Elle engendre les êtres subtils … Elle donne aussi naissance au Ciel et à la Terre … Elle ne cesse de croître depuis les temps les plus anciens et les plus reculés. » Ni Hua-Ching, *Workbook for Spiritual Development of all people.* p. 23.

« Avant que le Ciel et la Terre n'existent, il y avait quelque chose de nébuleux, silencieux, isolé, solitaire, inchangeant et tournoyant éternellement, digne d'être la Mère de Toutes Choses … Être grand implique une extension dans l'espace … » (Ibidem, p. 82.)

Ces deux citations indiquent clairement que le temps et l'espace aient pu être antérieurs au Big Bang, du moins dans une qualité virtuelle.

(3) **Documentation** :

www.universaltao.50megs.com/Art_list.html

Essay on Cosmology, Taoism and Astroparticle Physics: www.universaltao.50megs.com/new_page_8.htm

Physics and Consciousness: www.starstuffs.com/physcon2/science.html

(4) *The Complete Works of Lao Tzu*, Ni Hua-Ching, p. 170. *I Ching*, Ni Hua-ching, p.25-38.

(5) Une explication du processus de régénération constante de l'univers est la suivante :

Le processus de création est une suite de divisions incessantes. L'énergie ne cesse de se diviser et de se subdiviser, non pas quelques milliers ou millions de fois, mais incessamment jusqu'à l'infini. À mesure que le nombre de divisions approche de l'infini, l'ensemble perd sa cohésion et retombe dans le chaos, c'est-à-dire à son point de départ. Un cycle est bouclé.

Chapitre 12. L'esprit et la matière

(1) La lune exerce une influence directe sur le mental humain, sur le cerveau droit, c'est la lumière dans la nuit, la puissance lunaire spirituelle préside au développement de la pensée intuitive.

(2) Toutes les précisions complémentaires sont disponibles dans « *The Taoist Inner View of The Universe and The Immortal Realm,* » de Maître Ni Hua Ching.

(3) « *The Gentle Path of Spiritual Progress,* » Ni Hua Ching, 1987. p. 256.

(4) Le quatorzième Dalai Lama, dans *Compassionate life:* www.viewonbuddhism.org/wisdom_emptiness.html

(5) Parler de forme signifie un degré de substantialité. Certaines réalités non visibles, comme par exemples les concepts abstraits, possèdent une forme et appartiennent au monde matérialisé.

(6) **La personnalité**.

On peut pousser encore plus loin l'analyse et rendre compte des qualités personnelles qui ont directement leur source dans nos organes physiques et leur expression mentale.

Dressons en le tableau pour ceux qui sont curieux, ou patients, ou intrépides. (Tiré de : « *The Gentle Path of Spiritual Progress,* » Ni Hua Ching, 1987. p. 457.)

Organe	Qualité mentale	Qualité morale	Émotion	Pulsion négative	Pulsion corruptrice
foie	rationalité	bienveillance	nervosité, choc	jalousie	esprit de compétition
cœur	spiritualité	humilité	joie, agitation, colère	ambition, désirs	alcool, drogues
rate	tranquillité	confiance	impulsivité, hésitation	cupidité, passion	obsession pour la nourriture

pou-mons	sensitivité	rectitude	chagrin	entêtement disharmonie	matérialisme
reins	vitalité	sagesse	peur	dispersion, Froideur,	manie sexuelle

On ne peut mieux décrire l'esprit et la matière dans la créature humaine qu'en montrant comment, nos pensées, nos émotions, nos capacités sont enracinées dans la substance des organes physiques, dans leurs propriétés spirituelles animées par l'énergie vitale.

Il est important de remarquer que nos qualités personnelles, nos valeurs morales, ne sont pas seulement dépendantes de la culture ou de l'éducation, mais qu'elles sont aussi innées et universelles, comme un code génétique moral qui fait partie de notre être.

En réalité, les fonctions mentales issues du fonctionnement des organes physiques sont encore plus nombreuses, elles comprennent des fonctions comme la mémoire et la volonté, et elles sont même reliées à l'activité physiologique.

On compare parfois la façon dont le mental pensant est installé dans le corps à un logiciel dans l'ordinateur matériel.

Chapitre 13. Entre Ciel et Terre.

Seeing into the true nature of emotions:
www.diamondway-buddhism.gr/emotions-en.htm

Chapitre 14. La Loi de réponse de l'énergie

(1) buddhism.kalachakranet.org/karma.html

(2) *8000 Years of Wisdom*, Hua-Ching Ni, Seven Star Communications. (1995) p. 150

(3) Note tirée du site « Physics and Consciousness » :
www.starstuffs.com/physcon2/freqamp.htm
"En physique vibratoire, les principes qui transforment le son en musique harmonieuse sont les mêmes principes qui régissent toutes les associations de vibrations partout dans l'univers – et cela inclut tout ce qui existe. Les vibrations sont dynamiques et ressemblent donc à des choses « vivantes » puisqu'elles sont dans un état « d'harmonie » mutuelle.

Lorsque des harmoniques sonores forment des relations harmoniques directes, on dit que les deux sons qui vibrent et leurs accords de vibration sont sympathiques entre eux. Autrement dit, la résonance – les choses qui sont semblables s'attirent. Cette combinaison de fréquence impose que ce qui arrive à l'une arrive vibratoirement à l'autre simultanément selon divers degrés d'harmonie ou de dissonance. »

Chapitre 15. Le mysticisme

(1) The Future Evolution of Man, Sri Aurobindo, chapitre 3. www.mountainman.com.au/auro.html

(2) *The Taoist Inner View of the Universe*, p.162.

(3) The Future Evolution of Man, Sri Aurobindo, chapitre 5

Document: Buddhist Concepts, the Nine Consciousnesses: www.sgi.org/nine.html

Chapitre 16. Trouver le chemin

(1) Une remarque à propos de l'indépendance émotionnelle. Savoir se recentrer nous apporte donc une distanciation des soucis externes. Mais il est bon de garder aussi son indépendance spirituelle. Il ne faut pas que le travail de développement personnel devienne une dépendance envers un monde spirituel que nous ne connaissons pas. Mieux vaut éviter d'en faire une obsession émotive, une sorte d'addiction. La spiritualité fonctionne en dehors des émotions. Céder à un asservissement émotionnel dans la spiritualité conduit directement à de fortes déconvenues ou déceptions. Placer son mental au point zéro c'est conserver aussi son indépendance émotionnelle envers le domaine spirituel.

Chapitre 17. La méditation

(1) The Multifaceted Health Benefits of Medical Qigong: www.healingtaousa.com/cgi-bin/articles.pl?rm=mode2&articleid=40

Info : Un exercice de Qigong des plus efficaces, des plus faciles à apprendre et à pratiquer, des plus complets est l'enchaînement connu sous les noms de Primordial Qigong, ou Enlightenment Qigong : enlight-qigong.org/index.php

(2) www.meditationexpert.com/comparative-religion/index.htm

(3) *The Future Evolution of Man*, Sri Aurobindo, chapitre 5.
www.mountainman.com.au/auro.html

(4) Document:
Il existe de multiples types de méditation. Voici une petite technique simple présentée par un enseignement Bouddhiste (Damo Qigong) « Une histoire ancienne raconte qu'il y avait une fois un bouddhiste qui résuma son expérience de longues périodes de méditation silencieuse en ces mots: « mon corps est un tronc de peuplier, mon cœur est aussi propre qu'un miroir. J'ai dépoussiéré mon cœur encore et encore pour qu'il n'y reste pas la moindre tâche. »
Là-dessus le grand saint Liu Chu fit immédiatement remarquer toute la profondeur de la vérité en disant:
« À l'origine, il n'existait pas d'arbre du nom de peuplier, il n'y avait pas non plus de miroir. S'il n'y a rien du tout, comment peut-on ramasser de la poussière ? »
Par conséquent, pour pratiquer on conseille de placer son esprit dans un point énergétique central du corps, (6 cm au-dessous du nombril, mais en profondeur, au centre de l'abdomen, c'est aussi un chakra.)
« Laissez donc vos deux yeux contempler cet endroit-là. Eh oui, vous ne verrez que du noir. Ensuite, mettez-vous peu à peu à penser que cette obscurité s'étend dans toutes les directions. Puis votre propre corps disparaît dans l'obscurité, votre maison disparaît dans l'obscurité, la ville que vous habitez disparaît dans l'obscurité. Votre pays disparaît dans l'obscurité qui s'étend. Cette obscurité s'étend tellement que la Terre disparaît dans l'obscurité, l'univers disparaît dans l'obscurité. Donc toute chose a disparu. Je ne pourrais rien voir, je ne pourrais rien entendre, je ne pourrais penser à rien.
Je suis retourné à l'époque d'avant ma naissance. Où je suis, je ne pourrais le savoir. Où est mon corps, je ne pourrais savoir. Où est ma maison, je ne pourrais savoir. Comment se fait-il que je ne puisse le savoir? Parce que quand je retourne à l'époque d'avant ma naissance, je ne peux plus avoir la capacité de voir, de penser, d'imaginer ou de faire quoi que ce soit.
Un adepte disait qu'il entendait souvent les cris des oiseaux derrière la fenêtre. Je lui ai répondu: « pensez-vous pouvoir entendre chanter les oiseaux quand vous êtes à l'époque d'avant votre naissance ou d'après votre mort? » Il me répondit « non. » « Alors, lui dis-je, vous savez comment vous devez laisser mourir votre cœur. »
Oui, mais il se produit parfois des pensées vagabondes qui envahissent le cœur. Alors, je pense tout doucement au sens de ces

mots : « vacuité, tout disparaît, non-existence. » Et cela me permet de retourner à l'époque d'avant ma naissance. Je suis une personne morte qui est toujours vivante. »

(Ici le mot cœur symbolise l'expression de la pensée et des émotions, le mental, dont la résidence se trouve dans le cœur.)

Voilà donc une bonne technique pour entrer dans le silence mental.

Bibliographie sur la méditation :

www.qigonginstitute.org/html/papers/MeditationBibliography.pdf

Étude scientifique de la méditation : The Physical and Psychological Effects of Meditation

www.noetic.org/research/medbiblio/index.htm

www.sufimovement.org/index.html

N.B. Les personnes intéressées par un développement spirituel avancé peuvent étudier les œuvres de Maître Ni Hua-Ching, qui ont largement inspiré le présent ouvrage.

Crédit images

Image chapitre 12 : Pixabay Licence Libre pour usage commercial, pas d'attribution requise

Chapitre 13 : Rembrandt, *Christ in the Storm*, Commons.wikimedia.org

Première de couverture: New York, Licence Pixabay.

Quatrième de couverture: *Crowd at Knebworth_House - Rolling Stones 1976*, Commons.wikimedia.org.

Table des matières